LA MOMIE DU BELVÉDÈRE

Catalogage avant publication de Bibliothèque et Archives nationales du Québec et Bibliothèque et Archives Canada

Chabin, Laurent, 1957-

La momie du Belvédère

(Atout)
Pour les jeunes de 10 ans et plus.

ISBN 978-2-89723-480-5

I. Titre. II. Collection: Atout.

PS8555.H17M65 2014   jC843'.54   C2014-941289-4
PS9555.H17M65 2014

Les Éditions Hurtubise bénéficient du soutien financier des institutions suivantes pour leurs activités d'édition:

– Conseil des Arts du Cánada;
– Gouvernement du Canada par l'entremise du Fonds du livre du Canada (FLC);
– Société de développement des entreprises culturelles du Québec (SODEC);
– Gouvernement du Québec par l'entremise du programme de crédit d'impôt pour l'édition de livres.

Conception graphique: Fig communication
Illustration de la couverture: Sampar
Mise en page: Martel en-tête

Copyright © 2014, Éditions Hurtubise inc.

ISBN 978-2-89723-480-5 (version imprimée)
ISBN 978-2-89723-481-2 (version numérique PDF)
ISBN 978-2-89723-482-9 (version numérique ePub)

Dépôt légal: 3ᵉ trimestre 2014
Bibliothèque et Archives nationales du Québec
Bibliothèque et Archives Canada

Diffusion-distribution au Canada: Diffusion-distribution en Europe:
Distribution HMH   Librairie du Québec/DNM
1815, avenue De Lorimier   30, rue Gay-Lussac
Montréal (Québec) H2K 3W6   75005 Paris FRANCE
www.distributionhmh.com   www.librairieduquebec.fr

Imprimé au Canada
www.editionshurtubise.com

LAURENT CHABIN

LA MOMIE DU BELVÉDÈRE

ROMANS POLICIERS DU MÊME AUTEUR
DANS LA MÊME COLLECTION

15 ans ferme
L'Assassin impossible
La Conspiration du siècle
L'Énigme du canal
L'Écrit qui tue
Partie double
Piège à conviction
Sang d'encre
Secrets de famille
Série grise
La nuit sort les dents
Les Trois Lames
La Valise du mort
Vengeances
Zone d'ombre

1

UNE MOMIE À MONTRÉAL

— Dites! s'exclame Sébastien en arrivant vers nous, l'air visiblement excité. Vous avez vu ça? Incroyable, non?

— Vu quoi? fait Patricia en relevant les sourcils, sans manifester un intérêt excessif.

— La momie, voyons! répond Sébastien.

Cette fois, Patricia le dévisage comme s'il venait de se mettre à parler russe ou islandais.

— Quelle momie? Qu'est-ce que c'est? Un nouveau film?

C'est au tour de Sébastien de se montrer étonné.

— Ça alors, tu ne vas donc jamais sur Internet? demande-t-il. On ne parle que de ça.

— J'y vais, bien sûr, réplique Patricia, mais pas pour ça. Pas pour les faits divers. Ça ne m'intéresse pas. Et puis, à cause du métier de mon père, je suis informée bien assez tôt de ce genre de choses.

Le père de Patricia est sergent-détective au Service de police de la Ville de Montréal. Je sais bien que ce n'est pas une raison pour ne pas se tenir informé de temps en temps, mais elle n'aime pas être prise en défaut par Sébastien, qu'elle trouve très gentil mais un peu bête.

— Eh bien, ton père ne te dit pas tout, rétorque ce dernier en se rengorgeant. Une momie en plein Montréal, tu trouves ça normal, toi? Ordinaire? En tout cas, tu es bien la seule à ne pas être au courant. Tout le monde en parle ce matin. Pas vrai, Julien?

Hum...

À vrai dire, moi non plus je ne lis pas souvent les faits divers. Mes parents discutent assez de l'actualité à table chaque soir pour que je n'en aie pas besoin, et ils prennent les informations directement sur leurs tablettes. Il n'y a donc pas de journal à la maison.

Quant à cette histoire de momie, j'avoue ne pas en avoir entendu parler. Mes parents sont passionnés de politique, entre autres, et ils ne prêtent que peu d'attention aux faits divers et à ce genre de contes à dormir debout.

Sébastien semble déçu par mon manque d'enthousiasme à son égard, mais il ne désarme pas.

— Je me demande dans quel monde vous vivez, vous deux, fait-il avec une grimace.

La police découvre une momie en plein Montréal, à Westmount, et vous n'en avez pas entendu parler!

— Mais qu'est-ce que tu racontes, enfin? s'écrie Patricia. Une momie? Et alors? Tout ce bruit parce qu'un collectionneur a ramené une horreur enrubannée d'Égypte ou du Pérou? D'abord c'est interdit, et ton bonhomme va sans doute avoir des ennuis, avec sa momie.

Sébastien écarquille les yeux. Puis il secoue la tête, comprenant enfin que Patricia et moi, d'une part, et lui, d'autre part, ne sommes pas sur la même longueur d'onde.

— Tu n'y es pas du tout, Pat, reprend-il enfin. Je ne parle pas de ce genre de momie. Je ne parle pas d'un objet de musée ni d'un collectionneur.

— De quoi donc, alors?

— D'un cadavre, laisse tomber Sébastien avec gravité. D'une femme qu'on a retrouvée morte et momifiée dans son salon. Et pas très loin d'ici, en plus…

2

LE CADAVRE DU BELVÉDÈRE

La cloche a sonné et nous avons dû retourner en cours.

À la sortie, je n'ai pas revu Sébastien, qui avait un entraînement de hockey ; ni Patricia, qui avait reçu un message de son père lui indiquant qu'il rentrerait tard et qu'elle devrait se débrouiller seule à la maison.

Depuis la mort de sa mère, il y a deux ou trois ans, Patricia vit seule avec son père, le sergent-détective Lévesque. Un homme à qui elle donne du fil à retordre, car il faut avouer qu'elle a un sacré caractère… L'absence de ce dernier ce soir a-t-elle un rapport avec cette curieuse histoire de momie ?

De retour chez moi, je retrouve mon petit frère, Thomas, qui est déjà rentré de l'école. Depuis l'étrange affaire de l'année dernière[1], il s'est renfermé et il reste le plus souvent seul dans sa chambre, avec ses livres et ses dessins. Au moins j'ai la paix !

---

1 Voir *L'Énigme du canal*, dans la même collection.

Je lui laisse la sienne et je file directement dans ma chambre. Là, je m'assois devant mon ordinateur et je lance une recherche. Je n'ai pas voulu le montrer devant Sébastien et Patricia, mais la « momie » m'a intrigué tout l'après-midi. Avant d'en rire ou de m'y intéresser, je veux savoir de quoi il retourne.

En feuilletant les éditions électroniques des principaux journaux, je me rends compte que seule la presse populaire fait ses gros titres avec ce fait divers que, force est de l'admettre, Sébastien n'a pas inventé.

L'ÉTRANGE CADAVRE DE WESTMOUNT. UNE MOMIE EN PLEIN MONTRÉAL. LA MOMIE DU BELVÉDÈRE...

Les manchettes sont pompeuses à souhait. Sans doute pour cacher la faiblesse de l'information...

Tout ce que je peux apprendre, c'est que dans la nuit de mardi – soit la nuit dernière –, un cambrioleur s'est introduit dans une maison de Westmount, rue du Belvédère, après avoir brisé une vitre. Un des voisins a remarqué ce matin la fenêtre entrouverte et cassée, ce qu'il a trouvé bizarre. Il est allé sonner à la porte, mais, aucun bruit ne lui parvenant de l'intérieur, il a décidé d'appeler la police.

Les agents ont rapidement constaté l'effraction et, en l'absence de toute réponse des résidants, ils se sont fait ouvrir la porte par un serrurier.

Après avoir remarqué des traces de désordre sans doute laissées par le cambrioleur au rez-de-chaussée, ils sont montés à l'étage de la maison silencieuse. Là, ils sont tombés sur un spectacle peu banal : trônant dans un large fauteuil au milieu de sa chambre, une vieille dame était assise, muette, parfaitement immobile.

Très vite, ils se sont rendu compte que cette personne, d'une maigreur épouvantable, ne dormait pas. La peau de son visage et de ses mains était parcheminée et ses orbites étaient vides. Non seulement elle était morte, mais elle l'était manifestement depuis plusieurs années !

Une enquête préliminaire a suggéré que le cadavre pourrait être celui de la propriétaire de la maison, Héloïse Lajeunesse, âgée de quatre-vingt-cinq ans. L'autopsie, d'après le porte-parole de la police, devrait confirmer ces informations dans les jours à venir.

Selon les premiers témoignages des voisins, madame Lajeunesse n'avait pas été vue depuis des années et ils la croyaient impotente. La maison était toutefois bien entretenue et un homme d'un certain âge, qui semblait être un familier, un parent peut-être, venait régulièrement la visiter. Les témoins ignorent le nom de cet inconnu, mais ils déclarent qu'il s'agissait d'un homme affable, quoique peu bavard.

L'individu, cependant, n'a pas été vu depuis plusieurs semaines.

Voilà tout ce que j'ai pu apprendre sur l'étrange histoire. Les faits divers criminels ne m'intéressent pas, d'habitude. C'est toujours la même chose : affaires d'adultère et de jalousie, ou règlements de comptes entre gangs rivaux. Ce n'est pas mon monde.

Là, pourtant, j'avoue que ma curiosité est éveillée. Une vieille dame retrouvée desséchée dans son fauteuil, à l'état de momie, en 2014 et à Montréal, ça n'est pas ordinaire. Sébastien a raison, de ce point de vue.

Les histoires de momie, pour moi, c'était réservé aux films d'épouvante ou aux jeux vidéo. Comment une telle chose est-elle possible ? Ne s'agirait-il pas d'un canular ? Nous ne sommes pas le 1er avril, pourtant.

Et qui est cet homme qui venait régulièrement à la maison du Belvédère ? Un ami ? Un fils ? Un neveu ? Est-ce lui qui a tué la vieille dame ? Mais pourquoi l'avoir conservée ainsi, maigre comme un hareng saur, squelettique, assise pour l'éternité dans le fauteuil de sa chambre?

Et pourquoi a-t-il disparu à son tour? Momifié quelque part, lui aussi? Trop de questions, auxquelles je n'ai aucun moyen de répondre.

Patricia saura peut-être, elle. Par son père. J'ai bien envie de l'appeler, mais je sais qu'elle n'aime pas beaucoup qu'on l'interroge sur les activités de son paternel. Tant pis, j'attendrai demain.

3

L'INCONNU DANS LA MAISON

Je n'ai rien appris de plus dans la journée, à l'école du moins, à propos de la momie. Sébastien n'a pu que répéter ce que les journaux ressassent inlassablement dans le vide depuis hier, en attendant que de nouvelles informations soient transmises par la police.

Il y ajoute son petit grain de sel, bien sûr.

— Vous avez vu l'allure des maisons du chemin du Belvédère? s'exclame-t-il. Elles doivent valoir des millions. Celle de la momie appartient sûrement à une secte richissime qui fait des sacrifices humains. Ils vont se venger...

Patricia hausse les épaules.

— Qui ça, «ils»? Les tueurs de l'au-delà? La vengeance de la momie? Tu délires, Seb. Tu confonds les films avec la réalité. Et puis il ne s'agit pas d'une momie égyptienne ou inca. Il s'agit d'une pauvre vieille qu'on a laissé crever chez elle pour...

Patricia hésite.

— Pourquoi? relance Sébastien d'un ton narquois. Pourquoi, hein?

— Est-ce que je sais, moi ? répond Pat en haussant de nouveau les épaules. Tôt ou tard les policiers mettront la main sur le mystérieux bonhomme qui entretenait la maison et tout sera clair. Il y a assez de fous criminels sur cette terre pour qu'on n'ait pas besoin d'inventer des meurtriers venus d'un autre monde.

— Ouais, tu n'en sais rien du tout, en fait, conclut Sébastien, un peu vexé qu'on ne le prenne jamais au sérieux. Mais vous verrez, ça va mal finir, toute cette histoire.

Sébastien devrait arrêter les jeux vidéo… Cependant, il a raison en ce qui concerne la maison. Dans un journal que j'ai trouvé à la bibliothèque de l'école, j'ai vu une photo de ce qu'on appelle déjà « la maison de la momie ».

Belle bâtisse, en effet. Maison ancienne de pierre et de brique, à demi enfouie sous de grands arbres, avec des espèces de petites tourelles et des fenêtres à croisillons. On croirait le manoir d'un colonel à la retraite de l'armée des Indes, dans un roman d'Agatha Christie. Momie ou pas, Héloïse Lajeunesse ne devait pas se sentir trop gênée à la fin du mois…

Tout respire l'argent, la vieillerie et le « bon goût » qui va avec. Plaquée sur la porte massive, encadrée par des colonnades pseudo-grecques, je remarque toutefois une sorte de figure hideuse, verdâtre et grimaçante, qui me paraît jurer avec le style très anglais du reste de la demeure. Cette effigie me rappelle vaguement quelque chose, mais je ne saurais dire quoi.

La maison, séparée de ses voisines par les arbres et une épaisse végétation, semble isolée et je me demande combien de temps encore la momie serait restée immobile dans sa chambre si un cambrioleur ne s'y était pas introduit en brisant une vitre.

J'essaie d'imaginer ce qu'a pu être la vie de cette vieille dame, avant qu'elle ne finisse momie. Très riche, sans aucun doute. Et seule. Désespérément seule. Nul voisin ne l'avait vue depuis des années, sans paraî-tre s'en étonner. Quittait-elle seulement sa chambre ?

Quant à cet homme qui venait la visiter, il n'était sans doute pas de la famille, main-tenant que j'y songe. Ça ne cadrerait pas avec les événements. Qui dit famille dit héritage, et les héritiers ont tout intérêt à ce que la vie de leurs aînés ne s'éternise pas !

Pour quelle incompréhensible raison un fils ou un neveu aurait-il dissimulé aux autorités la mort de madame Lajeunesse, alors que celle-ci lui aurait permis d'entrer en possession de sa maison et, sans doute, du reste de sa fortune?

Quoi qu'il en soit, cet inconnu a bien dû laisser des traces et je m'étonne que la police n'ait pas déjà mis la main dessus. Je tente de sonder Patricia, mais l'affaire ne semble pas l'intéresser et, manifestement, son père ne lui en a rien dit.

Une fois rentré chez moi, j'essaie de penser à autre chose. Après tout, cette histoire ne me concerne pas et je ne vais pas en faire une maladie.

Mais, une fois n'est pas coutume, ce sont mes parents qui, le soir, à table, se mettent à en discuter. D'habitude, pourtant, leurs conversations tournent plutôt autour des singeries des hommes politiques, du soccer (mon père est un fan de l'Impact de Montréal) ou de la santé (sujet de prédilection de ma mère).

C'est Thomas qui lance le sujet. À dix ans, il est vrai que cette aventure doit lui sembler particulièrement excitante.

— Est-ce que les momies peuvent revenir à la vie? demande-t-il, arrêtant sa fourchette à mi-chemin entre son assiette et sa bouche.

Je m'attends à ce que ma mère lui réplique de s'occuper plutôt de ses devoirs ou de choses plus sérieuses mais, à ma grande surprise, c'est mon père qui lui répond :

— Si tu veux parler de la vieille dame de Westmount, ça m'étonnerait. Mais le bandit qui lui a fait ça ne va pas courir longtemps, tu peux me croire. On l'a déjà identifié.

— Je croyais qu'on ignorait tout de lui, interrompt ma mère, qui manifeste tout à coup son intérêt.

— L'information sera bientôt publique, affirme mon père. Mais au bureau, ce n'était déjà plus un mystère en fin d'après-midi. Ce n'était pas très compliqué, d'ailleurs. La police a vérifié les comptes en banque de la vieille, madame Lavigueur, je crois…

— Lajeunesse, corrige ma mère.

— Lajeunesse, c'est ça, oui. Eh bien, on s'est aperçu que, si elle-même n'avait pas été vue en personne depuis des années, ses comptes étaient toujours actifs. Ils étaient gérés par un homme de confiance disposant d'une procuration pour toutes les opérations courantes.

— Et ce type a disparu en vidant les comptes, je suppose ?

— Non. Il a disparu tout court. Les comptes sont intacts. C'est bien ce qui est le plus curieux. La plupart sont ouverts dans une succursale où je connais quelques collègues.

Mon père travaille dans une banque, la même, si je comprends bien, que celle où la vieille dame avait ses comptes, et je suppose que c'est pour cette raison qu'il est au courant.

— J'imagine, vu le quartier et l'impressionnante maison où elle vivait, que nous parlons d'une fortune considérable, fait remarquer ma mère.

— Plutôt, oui. L'affaire est scandaleuse, bien sûr, mais elle n'est guère mystérieuse, dans le fond. L'homme qui a disparu avait accès aux biens de madame Lajeunesse, mais il n'en était ni le propriétaire ni, apparemment, l'héritier. Lorsque cette dame est morte, il y a une dizaine d'années d'après les estimations des experts, il a dissimulé son décès pour pouvoir continuer de vivre sur son capital, puisque c'était pour lui le seul moyen de le faire. Quant à savoir si c'est lui qui l'a tuée, c'est une autre histoire.

Je ne sais pas ce que Thomas comprend de ce discours sur les héritages et les procurations bancaires. Il écoute quand même avec un air appliqué. Cependant, je crois bien que le mystère de la momie se réduit à peu de chose, au bout du compte. Une escroquerie somme toute assez banale, une vieille dame dont un individu sans scrupule a abusé de la crédulité, et qui aurait pu continuer long-temps encore si la momie de sa bienfaitrice involontaire n'avait pas été découverte.

— À propos d'héritiers, en a-t-elle? demande ma mère.

— On ne sait pas encore, répond mon père. Ça peut être assez long de le découvrir. De toute façon, si personne ne s'est aperçu au cours des années que cette dame était morte, c'est que les héritiers potentiels ne se souciaient guère de sa santé. Pour l'instant, c'est surtout Alban que la police recherche.

— Alban?

— José Alban, le fondé de pouvoir de madame Lavigueur.

— Lajeunesse.

— Oui, c'est ce que je voulais dire.

Un moment s'écoule sans qu'une parole soit prononcée, chacun ayant l'air perdu dans ses pensées. Puis Thomas rompt soudain le silence :

— Mais la vieille dame, là, la momie, il l'a vraiment empaillée, ce monsieur Alban?

Mes parents éclatent de rire.

— Pas empaillée, voyons! répond ma mère. Momifiée. Elle a sans doute été main-tenue dans une atmosphère sèche et le corps a ainsi échappé à la putréfaction.

— Comme du *jerky beef* ?

Ma mère esquisse une moue de dégoût, mais mon père paraît enchanté par la comparaison.

— On pourrait dire ça, oui, fait-il, en contenant son envie de rire. Mais tu sais, ça n'est pas nouveau. Il y a des précédents dans l'histoire. Des gens qui ont conservé de cette façon des parents âgés pour pouvoir continuer à toucher leur retraite après leur mort, par exemple. C'est même plus fréquent qu'on ne le pense. Les affaires de famille se révèlent souvent sordides.

Bon. Voilà un mystère de moins. Enfin, à supposer qu'on retrouve rapidement le fuyard. Car enfin, pourquoi celui-ci s'est-il envolé les mains vides plutôt que de continuer sa petite escroquerie en toute tranquillité ?

Je me demande d'ailleurs s'il n'y a pas là-dessous un autre mystère, que le premier ne ferait que dissimuler.

4

LE MASQUE

Le mystère est encore plus profond que je ne le pensais. Et on dirait qu'il nous touche de plus près... Je m'explique.

Après le souper, je suis allé dans ma chambre pour voir avec lesquels de mes amis j'allais pouvoir clavarder, et Thomas s'est enfermé dans la sienne tandis que les parents s'affalaient devant la télé. Un débat au cours duquel deux politiciens allaient sans doute dire n'importe quoi avec la meilleure assurance du monde. Je serais tranquille un bon moment...

Tout d'abord, pourtant, je cherche s'il y a des nouvelles de «l'affaire de la momie». Elles ne manquent pas : la presse entière s'est emparée de ce sujet croustillant. Les dernières mises à jour des quotidiens parlent du dénommé Alban, qui a géré les affaires de madame Lajeunesse pendant des années, tout en dissimulant sa mort.

Deux questions reviennent avec insistance, la première étant : où et pourquoi Alban a-t-il disparu ?

Selon les témoignages des voisins et des employés de la banque, l'homme ne s'est pas montré depuis plusieurs semaines, et ce ne peut donc pas être la découverte de la momie par le cambrioleur d'abord, puis par la police, qui l'a mis en fuite.

La seconde pose un problème plus grave – du moins plus troublant : l'homme de confiance a-t-il profité de la mort naturelle de sa patronne pour monter sa petite mise en scène, ou bien, comme l'a d'ailleurs suggéré mon père au cours du repas, l'a-t-il délibérément assassinée pour la dépouiller de cette macabre façon ?

En ce qui concerne la deuxième question, il faudra attendre les résultats de l'autopsie pour connaître la cause de la mort. Pour ce qui est de la première, le mystère est total. Un mandat d'arrêt a été lancé contre José Alban, mais en vain. Alban n'apparaît nulle part, même dans les aéroports, où toutes les listes de passagers ont été épluchées minutieusement.

L'« embaumeur », comme on l'appelle à présent, rôde-t-il toujours dans Montréal ? A-t-il changé de province, est-il passé aux États-Unis par des voies détournées ? Pris dans ce tourbillon de questions sans réponses,

je commence moi aussi à échafauder mille théories.

J'en suis là de mes réflexions lorsqu'un bruit léger attire mon attention. On gratte à ma porte. Je devine tout de suite. Thomas. C'est bien dans ses manières…

Je me lève et j'ouvre. Je ne me suis pas trompé. Mon frère se tient là, immobile dans la pénombre du couloir. L'air mal à l'aise.

Lui qui était si exubérant autrefois, lui qui me tapait sur les nerfs, il faut bien le dire, qui me suivait partout en chantant des chansons stupides, il me fait presque pitié maintenant. On dirait qu'il ne s'est jamais remis de l'aventure de l'année dernière, lorsque nous avons découvert le cadavre d'un vieil homme près du canal de Lachine.

Je le fais entrer. Il s'avance dans ma chambre, sans un mot. À la lumière, je constate à quel point il est troublé, gêné. Qu'est-ce qu'il a encore pu inventer? Dans quelle histoire – réelle ou imaginaire – s'est-il encore embarqué?

Petit, il mélangeait joyeusement les histoires qu'on lui lisait – puis, plus tard, celles qu'il lisait lui-même – avec la réalité. Il voyait un elfe, un nain ou un gobelin derrière chaque inconnu rencontré dans la rue. Il découvrait sans cesse des conspirations et des complots sitôt qu'il voyait plus de trois personnes réunies.

Aujourd'hui, à dix ans, il semble s'être calmé un peu, mais il est toujours prompt à imaginer mille horreurs lorsque la nuit tombe sur le canal et noie dans l'ombre les silhouettes fantastiques des usines désaffectées. L'affaire de la momie a-t-elle provoqué chez lui une nouvelle bouffée d'irréalité morbide ?

Je m'assois sur mon lit et, comprenant que je n'ai pas l'intention de parler le premier, Thomas reste debout au milieu de la pièce à se tortiller. Puis il demande enfin à voix basse :

— Tu l'as vue, toi, la maison de la momie ?

Je ne me suis pas trompé…

— Non je ne l'ai pas vue, fais-je d'un ton un peu agacé. Elle se trouve à Westmount, sur les hauteurs. Tu crois que j'ai souvent l'occasion d'aller traîner là-bas ?

— Non, bien sûr, reprend-il en haussant les épaules. Je veux dire : est-ce que tu l'as vue en photo ?

— La photo de la maison est dans tous les journaux, Thomas. C'est normal, ils n'ont que ça à se mettre sous la dent. Tu penses bien que les policiers n'ont pas laissé les journalistes approcher de la momie. Alors oui, je l'ai vue.

— Et tu n'as rien remarqué de spécial?

— Qu'est-ce que tu veux dire? C'est une maison de Westmount, riche, chic, vieille. On les voit depuis le bord du canal, à certains endroits. Quelques-unes ressemblent presque à des châteaux.

— Je sais, dit Thomas. Je viens de me promener dans le quartier avec Street View. Mais je n'ai pas pu retrouver la maison. On ne voit pas les numéros.

— En quoi est-ce qu'elle t'intéresse, cette baraque? Tu veux l'acheter?

Thomas ne répond pas tout de suite. Il regarde le sol et se tortille de plus belle. Intrigué, je lui demande:

— Tu ne l'as pas assez bien vue dans les journaux?

Thomas renifle, puis il murmure:

— Oui, c'est ça.

— Je ne comprends pas ce que tu veux dire, répliqué-je, un peu énervé par cet air mystérieux que mon frère arbore parfois quand il veut se rendre intéressant. Tu l'as vue, oui ou non?

— Oui, je l'ai vue. Mais les photos ne sont pas assez nettes.

— Tu croyais sans doute que tu pourrais apercevoir la momie par la fenêtre ? lancé-je en riant.

— Non, ce n'est pas ça, réplique mon petit frère sans se démonter. C'est la porte. La porte d'entrée. Ça ne t'a pas frappé ?

Je fronce les sourcils. Maintenant qu'il en parle, oui, je me souviens d'avoir été intrigué par la décoration de la porte. Une sorte de masque vert placé au milieu, là où, dans certaines vieilles maisons, on trouvait autrefois un heurtoir.

Ce masque – si c'en est un – avait évoqué quelque chose en moi, un souvenir ancien, mais je n'étais pas parvenu à préciser lequel.

— Tu veux parler de l'espèce de masque vert ?

Thomas hoche la tête.

— On ne le voit pas très nettement sur les photos, mais assez tout de même pour le reconnaître, ajoute-t-il. Ça ne te dit rien ?

Je me gratte la tête et j'essaie de me remémorer où j'ai bien pu voir une horreur pareille. Une de ces cochonneries en papier mâché que les enseignants de primaire font réaliser par leurs élèves à l'occasion de l'Halloween ou pour la fête des Mères ? Un ramasse-poussière « découvert » par ma mère dans une vente de garage et jeté à la poubelle par mon père « par mégarde » un jour où elle n'était pas là ?

— Non, j'avoue que je ne vois pas.

— C'est Quetzalcóatl, déclare Thomas avec un air de défi. Le dieu aztèque. Le Serpent à plumes.

Les bras m'en tombent. Est-ce qu'il se fiche de moi ? Tout ce mystère pour m'annoncer qu'une vieille folle de Westmount a décoré sa porte avec un objet de pacotille acheté dans un bazar pour touristes à Cancún !

— Quelle nouvelle ! lâché-je avec ironie. C'est un copain à toi, ce Quetzalcóatl ?

— Tu ne te souviens vraiment pas ? reprend Thomas sans se vexer. Je t'en ai parlé, il y a trois ans. Le masque de monsieur Sanchez. C'est lui qui m'a expliqué l'histoire de Quetzalcóatl. J'en ai fait des cauchemars pendant des semaines.

Oui, ça me revient, à présent. À ce moment-là, nous habitions encore à Saint-Henri, rue du Couvent. Thomas allait à l'école primaire dont la cour donne dans cette même rue.

Presque en face de l'école vivait un vieil original, monsieur Sanchez, que Thomas persistait à appeler monsieur Sans Chaise, ou Cent Chaises, plaisanterie à laquelle ma mère faisait semblant de rire à chaque fois.

Sanchez était une espèce d'ours qui occupait une petite maison à un étage dont la particularité était qu'elle ne comportait aucun mur mitoyen. Un jardinet minuscule entourait la maison – et l'entoure sans doute encore aujourd'hui – et Thomas avait pris l'habitude d'y passer après l'école, lorsqu'il faisait beau.

Curieusement, monsieur Sanchez, qui faisait peur à presque tous les enfants, tolérait Thomas et bavardait même parfois avec lui. «Il connaît tous les pays du monde», prétendait mon frère, et j'en avais déduit que le vieux avait trouvé une oreille complaisante pour débiter toutes sortes d'histoires qu'il devait sinon garder pour lui.

Thomas était même entré dans la maison, un jour, et c'est là qu'il avait vu, au milieu d'un indescriptible fouillis, ce masque vert qui l'avait tellement impressionné. Il me l'avait longuement décrit, mais n'en avait pas parlé à nos parents, de peur de se faire punir pour être entré chez quelqu'un qu'ils ne connaissaient pas.

Je ne l'ai jamais vu personnellement – n'étant pas moi-même entré dans cette maison – mais la description de mon frère en était à ce point précise que l'image m'en était restée en mémoire, quoique de façon inconsciente.

Je rallume l'ordinateur et demande à Thomas de s'asseoir à côté de moi. Quelques secondes me suffisent pour retrouver la photo de la maison du Belvédère. Je zoome un peu sur la porte, pas trop cependant parce que l'image n'est pas d'une grande qualité.

— C'est le même ?

Thomas approche ses yeux de l'écran et hoche la tête.

— J'en suis sûr, oui.

L'image est pourtant floue. Un visage verdâtre aux grands yeux jaunes avec des prunelles énormes. Les dents sont disproportionnées et plates, alignées comme des touches de piano. Je ne comprends pas comment cette femme a pu décorer sa porte avec un objet aussi laid.

— Bon, d'accord, dis-je après un long silence. Mais qu'est-ce que ça signifie ? Il ne s'agit sans doute que d'une simple coïncidence.

— Oui, oui, peut-être, murmure Thomas sans conviction. Mais quand même. Il n'est pas si courant, ce masque. J'ai cherché sur Internet et je ne l'ai pas trouvé.

— Admettons. Et qu'est-ce que tu comptes faire, alors ? Aller voir monsieur Sanchez et lui demander s'il connaissait la « momie » ?

— Oui, pourquoi pas? laisse tomber Thomas.

Je n'en reviens pas. De quoi se mêle-t-il? Cette affaire est celle de la police, pas la nôtre. Je renvoie mon frère dans sa chambre en lui demandant d'oublier tout ça.

À peine est-il sorti, cependant, que je commence à ruminer sur ce que je viens d'apprendre. Et s'il ne s'agissait pas d'une coïncidence, après tout?

J'ai eu du mal à m'endormir mais, au matin, j'ai pris une décision. Tout à l'heure, j'en parlerai à Patricia. À elle seulement.

5

UNE EXPÉDITION

À l'heure du dîner, je retrouve Patricia et je lui propose d'aller manger dans le parc Saint-Henri, tout près, de l'autre côté de la rue du Couvent.

Elle me regarde avec un demi-sourire, comme pour dire « oui, je vois bien à quoi tu penses », mais, devant ma mine déconfite, elle me tapote doucement l'épaule.

— Pas de problème, Julien. C'est un endroit tellement romantique…

Patricia a beau être ma meilleure amie, je n'ai jamais pu dépasser avec elle ce stade de l'amitié, justement. Cet air narquois, toujours, qui décourage d'ailleurs aussi les autres garçons. Tant pis, là n'est pas le problème du jour.

— Ce que j'ai à te dire n'est pas très romantique, je le crains, dis-je en secouant la tête. Mais au moins nous y serons tranquilles.

— Tu as un secret à me confier ?

Toujours ce sourire un peu ironique…

— En quelque sorte, oui.

Comme je n'en dis pas plus, elle semble intriguée et elle me suit sans poser d'autre question.

Le parc Saint-Henri est une sorte d'oasis de calme et de verdure complètement dissimulée entre quatre rangées de maisons. Peu de gens le connaissent, et c'est tant mieux. Une fontaine de belle taille en occupe le centre et de grands arbres y donnent de l'ombre. Les maisons, tout autour, sont assez anciennes et ont beaucoup de cachet. On n'a vraiment pas l'impression d'être à Saint-Henri.

Une fois arrivés, nous nous installons sur un banc avec notre dîner.

— Alors, Julien, dit enfin Patricia d'un ton malicieux. C'est quoi, ton secret? Tu es amoureux?

— Pas du tout, démens-je, un peu froissé.

J'hésite un peu, puis j'ajoute:

— Je voulais te parler de l'histoire de la momie.

— Encore! s'exclame Patricia. Mais c'est une obsession! Tout le monde n'a que ça à la bouche. Entre Sébastien et ses histoires de vengeances sanguinaires et la télé qui nous rebat les oreilles avec cette pauvre vieille qui n'a sans doute jamais suscité autant d'intérêt, on n'a plus la paix. Et voilà que tu t'y mets, toi aussi!

Je suis un peu désarmé par la virulence de sa réaction. Devrais-je laisser tomber?

— L'escroc qui vivait aux dépens de cette dame s'est évanoui dans la nature et les policiers ne savent pas où donner de la tête, poursuit-elle. Il a complètement disparu, sans laisser la moindre trace. Néant! Pof! Comme s'il n'avait jamais existé. J'ai entendu mon père dire quelque chose de ce genre à un de ses collègues. Si tu veux mon avis, on n'est pas près de le retrouver.

— Il n'a vraiment laissé aucun indice?

— Rien, répond Patricia. Pas l'ombre d'une piste, pas même une photo. On ne sait même pas où il habite. Son adresse, pour la banque, est celle de la maison de la momie, chemin du Belvédère. Mais d'après les voisins, le type ne venait là que de temps en temps, il vivait ailleurs. Selon mon père, il utilisait de faux papiers. Un vrai professionnel de l'extorsion de fonds.

Elle hausse les épaules, puis mord rageusement dans son sandwich. Je la laisse se calmer, puis je hasarde:

— Les enquêteurs n'ont peut-être pas bien cherché…

Elle se retourne brusquement vers moi. Je n'arrive pas à savoir si elle est fâchée ou simplement moqueuse.

— Tu ferais mieux qu'eux, sans doute ? Tu aurais découvert une empreinte sous le tapis, une tache de sang au plafond, ou que sais-je encore ? Bravo, Sherlock Holmes !

— Tu lis trop de romans, Pat, dis-je pour reprendre l'avantage. Je ne parle pas de ce genre de choses. Mais il y a des coïncidences qui peuvent échapper au plus habile des observateurs simplement parce qu'il ignore un détail.

Cette fois, Patricia m'observe, redevenue sérieuse.

— Qu'est-ce que tu veux dire ?

— Thomas a remarqué un détail curieux.

— Thomas ?

Le visage de Patricia s'éclaire. Elle a pour mon petit frère une sorte d'affection particulière, comme on peut en avoir pour un animal familier. Elle n'accepterait sans doute pas cette comparaison, mais c'est celle qui, pour moi, décrit le mieux cette tendresse qu'elle éprouve pour lui sans que je puisse me l'expliquer.

— Thomas, oui. As-tu remarqué la décoration de la porte de la maison de madame Lajeunesse ?

— Qui ?

— La momie. Les journaux ont publié des photos de sa résidence. Sur la porte d'entrée, on distingue une sorte de masque. Genre précolombien.

— Et?

— Thomas prétend qu'il a vu le même objet chez le père Sanchez, rue du Couvent. Tu te souviens de lui?

— Pas vraiment, non. Le vieux bonhomme qui habitait près de chez vous autrefois, en face de son école?

— C'est ça. Thomas affirme que le vieux lui a montré un masque identique. Une représentation de Quetzalcóatl, d'après lui. Une momie, un dieu aztèque, ça fait un beau mélange dans sa tête. Si on raconte ça à Sébastien…

Patricia demeure perplexe un instant.

— Il est sûr que c'est vraiment le même? C'était il y a deux ou trois ans, il me semble. Et les photos des journaux ne sont pas toujours très nettes.

— Justement. Il parle d'aller voir monsieur Sanchez pour lui poser la question.

— Hou là! s'exclame Patricia. Dans quel imbroglio est-ce qu'il va se lancer, Tom-Tom?

— C'est bien mon avis. Mais il ne m'écoutera pas si je tente de le raisonner, tu t'en doutes. Peut-être que toi…

Patricia a retrouvé le sourire.

— C'est bon, je lui parlerai. Mais tout de même, ça m'intrigue, cette histoire de masque. Je ne me vois pourtant pas en parler à mon père. Il a horreur que je me mêle des affaires de la police, il me l'a assez dit. J'ai bien une idée, mais…

Je crois que je devine. Patricia a toujours eu l'esprit aventureux.

— On pourrait faire un saut chemin du Belvédère, trouver la maison et faire une photo de la porte. On pourra la montrer ensuite à Thomas et voir si c'est vraiment le même masque que celui de Sanchez. Demain, samedi, nous serons libres. Ce n'est pas si loin d'ici, nous pourrons y aller à pied. Qu'est-ce que tu en dis ?

C'est bien ce à quoi j'avais pensé, mais je suis soulagé que l'idée ait été exprimée par Patricia. On ne pourra pas dire que c'est moi qui entraîne les autres dans des expéditions insensées.

— C'est bon, dis-je. Passe me prendre demain à la maison. Tu en profiteras pour dire quelques mots à Thomas. Ne lui annonce surtout pas où nous allons, il voudrait nous suivre.

— Ne t'inquiète pas. Je lui apporterai de quoi s'occuper.

— Au fait, ajouté-je en me levant, inutile de mettre Seb au courant. Je ne tiens pas à l'avoir sur le dos samedi.

— Tu me veux pour toi tout seul, c'est ça? lance Patricia en me gratifiant d'un clin d'œil appuyé.

Pour toute réponse, je lui envoie un bec imaginaire.

Le lendemain, Patricia se présente à la maison à une heure de l'après-midi. J'ai déjà prévenu mes parents que je sortais.

Apercevant Thomas dans le couloir, mon amie l'interpelle.

— Salut, Tom-Tom! J'ai pensé à toi ce matin. J'ai trouvé ça à la bibliothèque. Julien m'a dit que ça t'intéressait. Tu en prendras bien soin, hein?

Ce disant, elle sort de son sac un grand livre illustré, assez épais. *Les anciennes civilisations du Mexique.*

Thomas ouvre de grands yeux. Pas tant à cause du sujet, qui ne l'intéresse pas particulièrement, je crois, que parce que Patricia a dit qu'elle avait pensé à lui. Il éprouve pour elle une véritable vénération, et elle lui ferait dire ou penser n'importe quoi.

Mon frère bredouille des remerciements incompréhensibles. Au moment où elle lui remet le livre, Patricia se penche à son oreille et lui glisse quelques mots à voix basse. Thomas hoche la tête gravement, puis il disparaît dans sa chambre.

Quelques minutes plus tard, alors que nous traversons la passerelle qui franchit le canal, je demande :

— Qu'est-ce que tu lui as dit ?

Patricia sourit largement.

— Que je cherchais un motif afin de sculpter un masque pour la fête de mon père, et que j'aimerais avoir son avis puisqu'il était un expert.

— Et il t'a crue ?

— Faut croire. Mais je le ferai réellement, ce masque. Pour moi.

Trois quarts d'heure plus tard, nous arrivons enfin sur le Boulevard – qui s'appelle vraiment comme ça : The Boulevard. Je n'étais jamais venu par ici. Le style tranche nettement avec Saint-Henri. Ce ne sont pas les simples employés de banque comme mon père qui habitent par ici, mais plutôt leurs patrons.

Nous remontons le Boulevard en direction du parc du Mont-Royal, et nous prenons enfin le chemin du Belvédère, sur notre gauche.

Très vite, j'ai l'impression de me retrouver dans un autre monde. Sommes-nous encore à Montréal ? Les maisons ressemblent à des châteaux et la rue, étroite, serpente sur les contreforts du mont Royal. Chaque bâtisse est entourée de jardins bien entretenus et d'arbres de grande taille.

— Tu as une idée du numéro que nous cherchons ?

— Non, aucune, répond Patricia. Il va falloir remonter toute la rue. Mais j'ai fait une copie de la photo de la maison à la bibliothèque, ce matin. On devrait y arriver.

Il faut de bonnes jambes pour vivre ici, tant la pente est raide. Il est vrai que les habitants, d'après ce que je peux constater en jetant un coup d'œil dans les entrées de garage, ont tous deux ou trois voitures, et pas des bazous.

Au bout d'un moment, j'ai du mal à m'y reconnaître. Tous ces manoirs se ressemblent, en fait, à part deux ou trois constructions nouvelles. Mais Patricia, plus sportive que moi, ne désarme pas.

— Allez, Julien, accélère, c'est bon pour le cœur.

L'ascension continue. Elle me paraît interminable. Soudain, alors que je suis presque à bout de souffle, Patricia s'immobilise et tend le bras.

— C'est là!

Je me redresse et essaie de calmer mon cœur. Oui, elle a raison, c'est bien la maison de la photo. La maison de la momie…

La construction est ancienne et ombragée. Nous nous avançons dans l'allée. La porte d'entrée est barrée d'un bandeau de police jaune, mais le motif du masque est parfaitement clair.

Une sorte de visage grimaçant d'un vert tirant sur le jaune, formé d'une mosaïque de céramique ou de faïence, je crois. Les yeux, largement ouverts, sont orange et dévoilent des prunelles noires. Les dents, faites d'os, peut-être, ou d'ivoire, sont grandes et alignées dans une bouche dépourvue de lèvres, comme si celle-ci ne comportait que des incisives.

Quetzalcóatl… L'ensemble est proprement hideux, ce qui ne m'étonne pas si je songe aux histoires de sacrifices humains qui surgissent toujours lorsqu'on évoque ce sanguinaire dieu aztèque.

Nous nous approchons, puis Patricia sort son cellulaire et prend quelques photos. Ce n'est que lorsque nous faisons demi-tour pour repartir que je l'aperçois. Une voiture garée de l'autre côté de la rue, de biais, de telle sorte qu'elle n'avait pas attiré mon attention lorsque nous sommes arrivés. Le conducteur a remonté sa vitre juste au moment où je me retournais.

Je jurerais qu'il tenait un appareil photo à la main !

6

L'HOMME DE L'OMBRE

Je n'ai rien dit à Patricia, à propos de l'homme de la voiture. Je pense qu'elle ne l'a pas vu et je ne voulais pas l'effrayer. Nous sommes rentrés précipitamment, comme si nous avions le diable aux fesses, avec le sentiment – pour ma part, en tout cas – d'avoir accompli quelque chose d'à la fois héroïque et à la limite de la légalité.

Pendant tout le trajet jusqu'à Saint-Henri, je me suis retourné à plusieurs reprises, le plus discrètement possible pour ne pas l'alarmer. Nous n'avons pas échangé une parole. Sans doute Patricia éprouvait-elle les mêmes émotions que moi, dont nous n'osions pas parler.

Rue Notre-Dame, elle m'a plus ou moins planté là en me disant qu'elle allait m'envoyer les photos par Internet. J'ai été tenté de lui demander ce qu'il se passait, pourquoi elle me paraissait subitement si soucieuse, mais je m'en suis abstenu. Je la connais assez : quand elle veut parler, elle parle, quand elle ne veut pas, elle vous envoie promener avec rudesse.

Sans insister, je l'ai donc laissée sur le trottoir et je suis rentré chez moi, un peu perplexe. Avant d'entrer dans ma chambre, j'ai jeté un coup d'œil dans celle de Thomas, dont la porte était entrouverte. Plongé dans le livre que lui avait prêté Patricia, il ne m'a ni vu ni entendu.

Me voici maintenant assis devant mon ordinateur. J'ai ouvert ma messagerie et j'attends. Je suppose que Patricia ne va pas mettre les photos de la maison de la momie sur sa page Facebook, mais qu'elle me les enverra personnellement par courriel. Cependant, le temps passe et ma boîte de réception demeure tout ce qu'il y a de plus vide.

Je ne comprends pas pourquoi elle tarde autant. Elle a pris les photos avec son cellulaire, et ça n'aurait dû lui prendre que quelques secondes pour me les transférer. A-t-elle eu des ennuis en rentrant chez elle ? Ce type, dans la voiture, nous a-t-il suivis sans se faire repérer et l'a-t-il prise en filature jusque chez elle ?

Finalement, son message arrive juste au moment où j'allais me décider à l'appeler. Trois photos sont en pièces jointes, montrant le masque de la porte dans tous ses détails. Le message est très bref : «Salut, beaucoup de boulot, on se voit lundi. » Beaucoup de boulot? Nous sommes dans la même classe et nous ne sommes pas spécialement surchargés de travail pour la fin de semaine. Bizarre. Patricia, d'habitude, est plus bavarde que ça. J'ai l'impression qu'elle me cache quelque chose…

Bon, tant pis. J'ai appris à ne pas insister avec elle, ça la met de mauvaise humeur. Pour l'instant, je me contente d'enregistrer les photos, puis je sors pour aller chercher Thomas.

Je frappe doucement à sa porte, bien qu'elle soit toujours entrouverte. Il lève le nez de son livre et se tourne vers moi. Je lui fais signe de me suivre, tout en mettant un doigt sur mes lèvres pour lui intimer l'ordre de ne pas faire de bruit.

L'effet est immédiat. Comme chaque fois que je fais mine de m'intéresser à lui ou que je lui demande quelque chose de spécial, mon petit frère semble ravi. Ça lui donne de l'importance. Il me rejoint donc rapidement, jetant autour de lui des regards soupçonneux comme si le couloir était rempli d'espions.

Une fois dans ma chambre, je lui montre les photos.

— C'est bien le même?

Thomas ajuste ses lunettes et examine l'écran avec attention, prenant son temps.

— Oui, fait-il au bout d'un moment à voix basse. C'est exactement le même.

— Tu es sûr? Tu ne confonds pas? C'était il y a longtemps, quand même.

Thomas se redresse.

— J'en suis certain, affirme-t-il de son air le plus sérieux. C'était peut-être il y a long-temps, mais ce masque m'avait tellement impressionné que j'en ai toujours gardé l'image comme si je l'avais vu hier.

Il se tait un instant, puis reprend:

— J'étais entré dans la maison, chez mon-sieur Sanchez. C'était la première fois. Je n'ai vu que son salon, c'était un vrai musée. Il devait être un peu artiste, je pense. Il y avait toutes sortes de statuettes, des sculptures, des dessins. Le même genre qu'on voit dans le livre que Patricia m'a apporté tout à l'heure.

— Des trucs aztèques?

— Aztèques ou mayas, je ne sais pas. Celui-là était posé bien en évidence sur une commode, et je l'avais trouvé effrayant. J'avais demandé à monsieur Sanchez si c'était le diable, et il avait ri. Il l'avait pris dans ses mains et me l'avait montré de près, mais je n'avais pas voulu le prendre. Il m'effrayait trop.

Étrange, tout de même. Quel rapport peut-il bien y avoir entre ce vieux bonhomme un peu bourru, sculpteur ou collectionneur d'objets d'art, et une vieille dame de Westmount momifiée dans sa maison et séquestrée – oui, c'est bien le mot – séquestrée par un homme d'affaires sans scrupules?

— Au fait, demandé-je à Thomas, tu sais ce qu'il faisait comme métier, Sanchez?

— Non, il ne me l'a jamais dit. Je ne suis pas entré plus de deux ou trois fois chez lui. D'habitude, je restais un moment avec lui dans son jardin, après l'école. Il me racontait des histoires.

Un appel de ma mère interrompt notre conversation.

— À table!

J'éteins l'ordi et, à pas lents, Thomas et moi nous dirigeons vers la salle à manger. Mon père est déjà assis, les yeux sur sa tablette numérique, posée à côté de son assiette.

— Jean, fait ma mère, tu ne pourrais pas éteindre cette machine le temps de souper?

Peine perdue. On dirait que mon père n'a même pas entendu.

— On en sait un peu plus sur l'homme de l'ombre, dit-il en passant sa langue sur ses lèvres, comme si la chose était délicieuse.

— Quel homme de l'ombre? demande ma mère, étonnée.

— José Alban. L'homme d'affaires de la momie de Westmount.

— Est-ce bien le moment ?

— Oui, oui ! s'exclame Thomas. C'est qui, l'homme de l'ombre ?

Ma mère hausse les épaules et mon père, ravi d'avoir un auditoire, reprend :

— Curieux bonhomme, en tout cas. Pas du tout le profil habituel du gestionnaire financier. Il est né au Mexique mais a immigré ici il y a plus de quarante ans. Il a été jardinier, peintre en bâtiment, décorateur. Des petits boulots. Et puis il est entré au service de madame Lajeunesse, il y a une trentaine d'années. Comme jardinier, justement.

— Et il a séduit la vieille, interrompt ma mère. Histoire classique. Il est devenu son amant et, de fil en aiguille, son homme de confiance.

— C'est possible, rétorque mon père. Et très romantique. Mais nous n'en savons rien, en fait. Le plus curieux, cependant, d'après les enquêteurs, c'est que José Alban a disparu de la circulation il y a plus de dix ans !

Ma mère repose l'assiette qu'elle allait donner à Thomas.

— Ça n'a pas de sens, voyons, lance-t-elle. Avant-hier, tu disais que ce mystérieux

Alban se présentait régulièrement à la banque pour effectuer des opérations. Et les voisins l'ont aperçu également, semble-t-il.

— Hum, fait mon père en fronçant les sourcils. En fait, toutes les transactions étaient faites par Internet ou à des guichets automatiques. Les employés de la banque affirment ne pas l'avoir vu depuis très longtemps. Quant à l'homme qui visitait régulièrement la vieille dame, les voisins ignorent son nom.

— Je ne comprends toujours pas, reprend ma mère. Cet escroc gérait à distance les comptes de madame Lajeunesse depuis des années sans accroc. Personne ne le voyait, d'accord. Le visiteur était peut-être une autre personne, admettons. Mais, dans ce cas, comment peut-on affirmer qu'il a disparu depuis dix ans ?

— La police a fait des recherches, répond mon père tout en continuant de passer son doigt sur sa tablette pour faire défiler les articles. Il existe un peu partout des traces de l'individu. Il y avait des comptes en banque à son nom. Il apparaît aussi dans les fichiers de la Régie du logement et des services de santé. Mais, vers la date supposée de la mort de madame Lajeunesse, il ferme ses comptes, quitte son appartement et indique comme nouvelle adresse celle de sa patronne. Mais il ne donne plus signe de vie et, à partir de ce moment-là, aucun témoin ne l'a jamais revu.

— Sauf, virtuellement, pour les affaires de la vieille dame, remarque ma mère en hochant la tête.

— Exact, conclut mon père. À cette époque, on peut dire qu'il devient un fantôme.

— Un fantôme! s'écrie Thomas avec un grand sourire. Après la momie, c'est un vrai roman!

— Non, ce n'est pas un roman, reprend ma mère d'un ton qu'elle voudrait sévère. Nous ne devrions d'ailleurs pas parler de ce genre de choses à table.

Puis elle lance un coup d'œil réprobateur à mon père, qui ne le remarque même pas.

Le reste du repas se déroule dans un calme relatif, mais je vois bien que Thomas est très excité. Le dessert avalé, nous nous levons en même temps et nous nous dirigeons vers nos chambres. Dans le couloir, Thomas ralentit le pas et me demande à voix basse:

— Tu crois que c'est vrai, cette histoire de fantôme?

Je hausse les épaules. Je ne crois ni aux fantômes ni aux vengeances de momies et Thomas mélange tout. Mais ce bonhomme, dans la voiture stationnée près de la maison du Belvédère, il était tout ce qu'il y a de vrai, lui. Et son appareil photo aussi.

Je n'aime pas ça…

7

SUPPOSITIONS

Dimanche matin. Je me sens mal à l'aise. Je pensais recevoir un message ou un appel de Patricia, mais j'ai attendu en vain.

Finalement, un peu avant midi, je me décide à l'appeler pour l'inviter au cinéma. Elle a un cellulaire, elle, et je ne crains donc pas de tomber sur son père, qui m'intimide quand même un peu.

Lorsqu'elle décroche, son ton me semble distant.

— Ça va ?

— Oui, oui, fait-elle d'une voix qui ne me paraît pas très convaincue.

J'essaie d'avoir l'air enjoué, mais ma bonne humeur apparente n'est visiblement pas communicative. Mon invitation tombe à plat.

— J'ai envie de rester à la maison aujourd'hui, finit-elle par déclarer d'une voix bougonne.

Cette attitude ne lui ressemble pas. Patricia est d'un tempérament vif et elle est toujours partante, quel que soit le projet qu'on lui propose. De plus, il fait plutôt beau et le soleil est une véritable invitation à passer la journée à l'extérieur. Elle ment, c'est évident.

Que se passe-t-il? En manière de plaisanterie, je lui lance:

— Ton père t'a interdit de sortir?

Pas de réponse. Ai-je touché juste? Peut-être, mais je n'aime pas quand mon amie est comme ça. Je ne sais que dire. C'est elle qui, après un silence long et gênant, reprend d'un ton nerveux:

— Tu n'as rien remarqué, hier?

Je suppose qu'elle fait allusion à notre équipée à Westmount. Je me demande si…

— Non, dis-je d'une voix hésitante. De quoi veux-tu parler?

Cette fois, Patricia explose.

— Tu te moques de moi, Julien? Tu n'as rien vu, vraiment? Mais tu as du caca dans les yeux, ma parole! La maison était surveillée, c'est évident. Il y avait une voiture pas loin, garée dans la rue. On nous a pris en photo. Quelle poisse! Qu'est-ce qui nous a pris d'aller nous mêler de cette histoire?

Je comprends brusquement. Je me souviens que Patricia, pendant tout le chemin du retour, n'a pas dit un mot. Elle semblait inquiète. Je n'avais pas voulu lui dire que je l'avais vue, cette voiture, pour ne pas ajouter à son malaise. Je pensais que, si elle avait noté sa présence, elle me l'aurait signalé.

En fait, elle a adopté le même comportement que moi, j'imagine. Sauf que, à présent, elle a peur. Elle se croit menacée et je me rends compte que, de mon côté, j'ai sans doute pris ce danger à la légère.

Qui surveillait la maison de la vieille dame, et pour quelle raison ? Alban ? Mais d'après mon père, l'homme a disparu depuis des années. Existe-t-il un deuxième homme, un complice du premier – celui qui visitait la maison, par exemple, sans que nul sache pourquoi –, en lien avec cette sombre histoire ?

Qui sait si José Alban n'est pas mort lui aussi depuis longtemps, et cet inconnu que les voisins apercevaient de temps à autre, loin d'être un complice, est peut-être au contraire un escroc qui a escroqué l'escroc. Un voleur du voleur… Ou même un assassin. Mais pourquoi surveille-t-il la maison ?

Mon père a expliqué, l'autre jour, que dès l'annonce du décès de madame Lajeunesse, tous les comptes bancaires ont été bloqués. L'argent dont vivait grassement José Alban, ou l'inconnu qui se faisait passer pour lui, lui fait donc cruellement défaut. Sa vache à lait s'est tarie !

À moins qu'il n'existe quelque part dans la maison une cachette qui contient encore une fortune...

Malheureusement, je n'ai aucun moyen de le savoir. Et peu m'importe. La seule chose qui compte désormais, c'est qu'il y a un assassin en liberté en ville, et que l'homme nous a vus. Je comprends que Patricia ne se sente pas à l'aise. D'autant plus qu'elle ne dira rien à son père, j'en suis convaincu.

Les relations de Patricia avec le sergent-détective Lévesque sont assez houleuses, et si celui-ci apprend que sa fille s'est mêlée, d'une façon ou d'une autre, d'une enquête criminelle qui ne la regarde pas, ça risque de faire des étincelles!

L'attitude de Patricia est donc compréhensible. Prise entre deux feux, elle ne sait plus quoi faire et elle n'ose tout simplement plus sortir de chez elle. Mais comment puis-je l'aider?

« Qu'est-ce qui nous a pris d'aller nous mêler de cette histoire? », s'est-elle exclamée à l'instant. Je n'ose lui répondre que c'est elle qui a eu l'idée de monter là-haut...

Je finis par demander:

— Tu crois qu'il nous a suivis?

— Qui? questionne-t-elle avec brusquerie, à mon grand étonnement.

— Ben… le gars de la voiture. Celui que… celui qui nous a pris en photo.

— Franchement, Julien, tu crois qu'il n'avait que ça à faire?

Son ton est clairement agacé, à présent. Je ne la comprends pas. Quelle aide pense-t-elle que je peux lui apporter si elle me traite ainsi? Énervé à mon tour, je prétends que j'ai quelque chose à faire et je raccroche.

Je regrette aussitôt mon geste, mais je crois que ce n'est pas rattrapable. Découragé, je retourne dans ma chambre et, désœuvré, je me mets à fureter sur Internet. Les journaux ne sont pas mis à jour le dimanche et je n'apprends rien de nouveau sur l'affaire de la momie et de son fantôme. Ce qui m'étonne, toutefois, au bout d'un moment, alors que je suis en train de relire des articles qui datent de la veille, c'est que nulle part il n'est question du cambrioleur à cause duquel la police a découvert la momie de madame Lajeunesse.

Qu'est devenu cet individu? A-t-il été pris? A-t-il volé quelque chose dans la maison, ou bien sa macabre découverte l'a-t-elle effrayé au point qu'il s'est enfui sans rien prendre? Les journaux disent que les policiers, en pénétrant dans la maison, ont remarqué qu'un certain désordre régnait dans les pièces du rez-de-chaussée, mais ils ne donnent aucune précision en ce qui concerne l'étage supérieur. Et ils n'indiquent pas davantage si quelque objet de valeur manque à l'appel. C'est comme si ce voleur, n'ayant rien volé... avait disparu à son tour!

Une idée me vient tout à coup: et si ce fameux cambrioleur n'existait pas? S'il ne s'agissait que d'une mise en scène destinée à égarer les recherches des enquêteurs? Dans quel but? Attirer l'attention de la police vers la maison... et la momie qu'elle contenait.

Évidemment, je ne m'explique pas qui aurait eu intérêt à agir ainsi. Cependant, j'ai assez entendu mon père assurer que les histoires de familles, dès lors qu'il est question d'argent et d'héritage, sont souvent ahurissantes: les machinations que des héritiers peuvent inventer pour entrer en possession de «leurs» biens dépassent parfois l'imagination. Dans ce cas de figure, l'homme mystérieux qui nous guettait devant la maison pourrait être cet héritier inattendu. Pourquoi n'a-t-il pas agi plus tôt? Parce qu'on aurait pu l'accuser d'avoir négligé sa vieille parente au point de la laisser mourir faute de soins, ou de l'avoir abandonnée entre les mains d'un prétendu homme de confiance qui l'a abusée. Ce ne serait pas la première fois qu'une personne âgée meurt dans la solitude la plus affreuse, ignorée par sa famille jusqu'au moment de l'ouverture du testament.

Pourtant, si c'était le cas, j'imagine que l'héritier en question se serait manifesté. Mon père a dit que ça peut prendre des mois, parfois des années, pour identifier un héritier quand une grosse fortune se retrouve ainsi sans propriétaire. Cousins éloignés, neveux ou nièces oubliés ou partis vivre dans des pays lointains… Un jour, on reçoit une lettre d'un avocat ou d'un notaire et on apprend qu'on est tout à coup à la tête d'un patrimoine sorti du néant…

Je me prends à rêver, tout à coup, qu'une telle chose m'arrive… Puis je redescends sur terre et je me pose plus sérieusement la question suivante : pourquoi cette histoire me passionne-t-elle autant ?

Et, surtout, pourquoi suis-je allé me montrer, avec Patricia, devant cette maison où la police a découvert un cadavre abandonné depuis des années ? Que puis-je faire à présent pour me sortir de cette sale affaire ?

Car Patricia a raison. Quelqu'un nous a pris en photo tandis que nous regardions le masque de la porte, et ce n'était certainement pas un journaliste. Oh, oui, elle a cent fois raison: «Qu'est-ce qui nous a pris d'aller nous mêler de cette histoire?»

8

THOMAS FAIT DES SIENNES

Le lendemain, à l'école, j'aperçois Patricia. Elle a toujours l'air de mauvaise humeur. Cependant, elle ne semble pas vouloir m'éviter. Quelques instants avant d'entrer en classe, elle se rapproche de moi et me glisse à l'oreille :

— Excuse-moi pour hier, j'étais vraiment de mauvais poil. Et puis j'ai l'impression que je me suis enrhumée.

Sa voix est rauque, en effet. Presque masculine. Elle n'a pas le temps d'ajouter quoi que ce soit. Le cours de maths se déroule dans un mortel ennui et, par-dessus les équations et les figures géométriques, je vois se superposer des masques aztèques, des coffres remplis d'or et des inconnus sans visage.

À la récréation, il y a encore trop de monde autour de nous. Ce n'est qu'au cours de la pause de midi qu'elle peut enfin s'expliquer, dans le même parc que l'autre jour, où elle m'a demandé de la suivre.

— J'étais en rage, hier, dit-elle. Nous nous sommes conduits comme des imbéciles.

— Oui, fais-je d'un ton embarrassé. L'«embaumeur» nous a vus…

— Tu n'y es pas du tout, Julien! réplique Patricia. Pas plus d'«embaumeur» que de cervelle dans notre tête! C'était un agent du SPVM qui nous a pris en photo. Et la photo est vite arrivée à mon père. À croire que nous sommes fichés!

— Ça se peut bien. Tout le monde est fiché.

— Oui, possible, admet Patricia avec un geste de la main. Mais le résultat est là: je me suis fait engueuler hier par mon père, et pas à peu près. Avec interdiction de sortir tout le dimanche. Tu comprends pourquoi je n'étais pas de bonne humeur.

Je comprends parfaitement. Mais ce que je comprends, surtout, c'est que je me suis fait de la bile pour rien. Pas d'assassin rôdeur, pas d'espion mal intentionné, pas d'«embaumeur» aux aguets. Un simple policier en surveillance, qui a sans doute reconnu la fille de son collègue et l'a averti.

Le sergent-détective Lévesque a horreur que sa fille se mêle de son métier, et je sais qu'ils ont parfois de rudes discussions à ce sujet.

— Je veux simplement savoir ce qui se passe, prétend Patricia dans ces moments-là.

— Tu n'as qu'à lire le journal, rétorque alors son père.

Fait intéressant, tout de même, celui-ci a confié à sa fille quelques détails sur l'enquête en cours, davantage pour avoir la paix, j'imagine, que pour la tenir au courant.

L'enquête, en fait, piétine. Aucune trace de José Alban depuis dix ans. L'homme qui rendait visite à madame Lajeunesse – à sa momie, plutôt – n'a pas reparu lui non plus (c'est dans l'attente qu'il se manifeste qu'un policier avait été mis en faction devant la maison). On ne sait rien de cet homme, sinon qu'il s'agirait peut-être de José Alban lui-même. Mais où vit-il? Pourquoi n'a-t-il jamais réapparu en personne à la banque? Les enquêteurs, apparemment, n'en savent rien.

La recherche d'éventuels héritiers n'a rien donné non plus. Madame Lajeunesse avait été mariée mais elle n'avait pas d'enfants. Son mari, mort très jeune, avait des frères et des sœurs, et les neveux et petits-neveux, s'il y en a, pouvaient prétendre à une bonne part du gâteau.

Cependant, d'après le père de Patricia, aucun héritier n'aurait eu intérêt à momifier la vieille dame et à dissimuler sa mort, bien au contraire. Il n'y a donc pas lieu de traquer l'«embaumeur» parmi ces derniers. Leur recherche n'étant pas du ressort de la police, elle est effectuée par un notaire ou un avocat, avec les lenteurs qu'on imagine.

— Laissons les hommes de loi s'occuper de tout ça, conclut Patricia. Je ne veux plus entendre parler de cette histoire.

Là-dessus, nous rentrons à la polyvalente, et le reste de la journée s'écoule avec la platitude ordinaire d'un lundi.

Après le dernier cours, Sébastien propose d'aller faire un tour avec nous près du canal. Je sens que Patricia est réticente. Elle aime bien Sébastien, mais à petite dose, et pour l'instant elle a surtout envie de paix. Pour faire diversion, je prétends que je dois aller chercher Thomas à l'école. Je sais que Sébastien n'aime pas mon petit frère, qu'il trouve collant.

Le stratagème fonctionne. Sébastien fait la grimace et nous plante là en nous disant à demain. Patricia semble avoir retrouvé sa bonne humeur et, ensemble, nous partons en direction de la rue Saint-Jacques. Je souris, ravi d'avoir damé le pion à Seb.

Nous marchons depuis une minute à peine quand Patricia s'arrête brusquement et pose son bras sur le mien.

— Qu'est-ce qu'il fait là ! s'exclame-t-elle.

Elle indique du doigt l'angle des rues Saint-Jacques et du Couvent. C'est à mon tour d'être stupéfait. Debout au coin de la rue, l'air soucieux, Thomas nous regarde venir vers lui.

C'est étrange. D'habitude, la vue de Patricia provoque chez lui une sorte de sourire ahuri et jovial. Là, j'ai plutôt l'impression qu'il se sent pris en faute. Il ne cherche pourtant pas à se cacher. Au contraire, on dirait qu'il nous attend. Qu'est-ce que ça signifie ? Il devrait être à la maison, à cette heure-ci.

Une fois arrivé à sa hauteur, je lui pose la question.

— Il faisait beau, bredouille-t-il en nous regardant alternativement. Je… je me suis dit que je viendrais t'attendre à la sortie de l'école, puisque je finis une heure avant toi.

La ficelle est un peu grosse, son explication tombe à plat. Thomas ne sait pas mentir. Amusée par sa mine déconfite, Patricia éclate de rire.

— Fais attention à ton nez, Tom-Tom, dit-elle en lui ébouriffant les cheveux. Il s'est allongé tellement vite qu'il a failli me crever l'œil.

Mon petit frère rougit jusqu'aux oreilles. Il commence à se tortiller, à danser d'un pied sur l'autre. Il a vraiment le don de m'énerver quand il s'y met. Pourquoi est-il venu ici alors que son école, de même que notre maison, se trouve de l'autre côté du canal? Il m'espionne, à présent?

Voyant que je vais l'interroger sans ménagement, Patricia prend les devants:

— Allons, Tom-Tom, ne me raconte pas d'histoires. Qu'est-ce que tu es venu faire par ici? Tu avais envie de revoir ton ancienne école?

Avant même qu'il ait le temps de répondre, je comprends d'où vient Thomas. Oui, bien sûr, son ancienne école se trouve à deux pas d'ici, rue du Couvent, mais ce n'est pas pour elle qu'il a fait tout ce chemin. C'est pour la maison qui est située en face. Celle de monsieur Sanchez.

— Tu es allé chez le vieux? fais-je d'un ton un peu brusque.

Thomas se tortille de plus belle.

— Oui… Enfin, non. J'ai essayé. Mais il n'est pas là. Il a disparu.

— Il a disparu! Tu dis n'importe quoi, voyons! Il est absent, c'est tout. Il est sorti, il est allé faire son épicerie, il est allé se promener, que sais-je? Qu'est-ce que c'est que cette histoire de disparition? Les gens ne disparaissent pas parce qu'ils sont allés faire un tour.

Thomas jette un regard vers Patricia, comme pour réclamer de l'aide.

— Il n'est pas juste allé se promener, reprend-il enfin. Il est parti pour de bon. La maison est abandonnée.

— Qu'est-ce qui te fait dire ça ? interroge Patricia, dont la patience à l'égard de mon frère m'étonne toujours.

— Eh bien, son jardin est en friche. Les fleurs sont abîmées et il y a plein de mauvaise herbe.

C'est vrai que, je m'en souviens, le minuscule jardin de monsieur Sanchez était un modèle de propreté et toujours bien entretenu. Il ressemblait presque à une vitrine d'horticulteur.

— Il est peut-être en voyage.

Patricia se gratte la joue, pensive.

— Tu voulais lui demander de revoir le fameux masque vert ? demande-t-elle d'une voix redevenue sérieuse.

— Oui, c'est ça, répond Thomas avec le sourire retrouvé, heureux comme il se doit de susciter l'intérêt de mon amie.

Hier encore, Patricia proclamait haut et fort : « Qu'est-ce qui nous a pris d'aller nous mêler de cette histoire ? » Là, pourtant, je sens que ça la démange d'aller faire un tour devant la maison de Sanchez.

Bien entendu, il n'y a aucun lien officiel entre le masque autrefois en possession du vieil original et le fait qu'une reproduction plus ou moins identique orne la porte d'une maison de Westmount. Elle ne subira donc pas les foudres paternelles si un policier l'aperçoit en train de rôder dans la rue.

La rue du Couvent est d'ailleurs trop près de la polyvalente pour qu'il ne soit pas tout à fait anodin pour des élèves d'y passer. Sans prolonger plus avant la discussion, nous nous mettons donc en marche tous les trois vers la maison de notre ancien voisin, à la grande satisfaction de Thomas, qui avance fier et droit comme un coq.

La maison est aisément reconnaissable, même si je n'y ai prêté aucune attention depuis des années. Étroite, on dirait presque une maison de poupée. Cette impression est renforcée par le fait que la façade est jaune et orange, et que le balcon qui surplombe la porte d'entrée, encadré par deux petites colonnes, semble construit en pain d'épice, comme les châteaux des contes de fées. Cette maison a en outre la particularité d'être la seule de la rue à ne pas être accolée aux autres. On peut donc en faire le tour aisément, et c'est pour cette raison que Thomas, autrefois, accédait si facilement au jardin. Deux minces bandes de gravier bordées d'un gazon qui n'a manifestement pas été tondu depuis un certain temps mènent à l'arrière, une de chaque côté.

La rue est déserte – ce n'est pas une rue passante. Aussi, après avoir hésité un bref instant et regardé dans tous les sens, nous nous engageons dans l'étroit passage. Une petite grille métallique est érigée au milieu, mais elle n'est pas fermée et il suffit de la pousser pour l'ouvrir.

— Tu es sûr qu'il n'est pas là ? s'inquiète soudain Patricia, qui se rend compte que nous pénétrons dans une propriété privée.

— Oh, oui, répond Thomas. J'ai bien sonné pendant dix minutes, tout à l'heure, et je n'ai pas entendu un bruit à l'intérieur.

Patricia hoche la tête et nous franchissons la minuscule grille. Le jardin paraît effectivement à l'abandon. Tout est en ordre, cependant. Propre, chaque chose à sa place. Mais envahi par la mauvaise herbe, qui masque les pieds de trois nains de jardin à la mine sinistre alignés près des marches menant à la porte arrière.

Nous n'avons rien à faire ici…

Au bout d'un moment, je hausse les épaules et me tourne vers Thomas.

— Et alors, qu'est-ce que tu veux qu'on fasse, maintenant ? Qu'on brise une vitre et qu'on pénètre à l'intérieur ?

Thomas me dévisage sans un mot. Il paraît gêné. Puis il dirige son regard vers Patricia, comme pour chercher son assentiment. Enfin, il se décide.

— Ce n'est pas la peine, murmure-t-il. Je sais où est la clé.

9

L'INCONNU DANS LA NUIT

Patricia s'écrie :

— Tu es fou, Tom-Tom ! Pénétrer chez les gens comme ça, par effraction, c'est un délit ! C'est une violation de domicile.

— Ben, non, bredouille Thomas en rougissant. Pas vraiment, puisque je sais où est la clé. Il n'y aura pas effraction, justement.

Patricia lève les bras au ciel.

— Mon pauvre Tom-Tom, dans quoi vas-tu encore te lancer ? En tout cas, moi, je ne veux pas d'ennuis. Je ne vous ai pas vus, je ne vous connais pas. Salut.

Énervée, Patricia tourne les talons et s'apprête à partir. J'ai l'impression que Thomas va se décomposer sur place. D'une toute petite voix, comme s'il allait fondre en larmes, il hasarde :

— Mais peut-être qu'il est malade. Peut-être qu'il a besoin d'aide.

Patricia s'arrête, soupire et fait volte-face.

— C'est bon, fait-elle avec humeur. On va chercher son numéro de téléphone et appeler. Il ne doit pas y avoir cinquante mille

Sanchez rue du Couvent. Peut-être qu'il est juste un peu sourd. Et puis si ça ne répond vraiment pas, j'en glisserai un mot à mon père, il avertira les services sociaux. Mais c'est bien parce que c'est toi...

Finalement, nous rejoignons la rue Notre-Dame, Patricia rentre chez elle et Thomas et moi continuons vers le marché Atwater. Quelques instants plus tard, tandis que nous traversons le canal sur la passerelle, j'interroge Thomas.

— Dis donc, où est-elle cachée, la clé du père Sanchez?

— Sous le socle d'un nain de jardin, près du perron. Celui du milieu.

— Et comment sais-tu qu'elle se trouve là? Tu as espionné le vieux?

— Pas vraiment, non, répond Thomas. Je l'ai vu une fois la glisser là alors qu'il sortait de chez lui. J'arrivais juste dans le jardin. Lui, euh... il ne m'a pas vu.

— Bon, d'accord, c'est là qu'il la cachait lorsqu'il sortait. Il est donc facile de savoir s'il est chez lui ou non. Si la clé est là, c'est qu'il est parti et que, pour une raison ou pour une autre, il n'est pas rentré.

— Elle y est.

Je suis stupéfait.

— Tu as regardé?

— Ben oui, quand j'ai vu qu'il ne répondait pas, j'ai fait le tour de la maison et j'ai soulevé le nain de jardin. La clé est là.

— Tu l'as prise ? demandé-je d'un ton alarmé.

Thomas hésite un instant, mal à l'aise.

— Non, non. Enfin, je l'ai remise en place, bien sûr, finit-il par avouer. Je ne suis pas un voleur.

Il n'a pas l'air très sûr de lui…

— Bon, dis-je pour conclure, si la clé se trouve toujours sous cette statuette ridicule, c'est que monsieur Sanchez n'est pas chez lui, et ce qu'il fait ne te regarde pas. Il est peut-être tout simplement à l'hôpital ou dans une maison de retraite. Il était assez vieux, non ?

— Oui, fait Thomas évasivement. Il était vieux. Il a toujours été vieux.

Pour mon frère, je suppose que ça signifie que monsieur Sanchez avait plus de cinquante ans lorsqu'il l'a rencontré pour la première fois… Thomas n'ayant rien à ajouter, le reste du trajet s'effectue en silence.

Une fois rentrés, nous nous enfermons chacun dans notre chambre. Par simple curiosité, je recherche dans les pages blanches si monsieur Sanchez avait le téléphone. Or, s'il y a un nombre impressionnant de Sanchez à Montréal, aucun n'habite rue du Couvent. Disparu, lui aussi?

Comment va réagir Patricia, qui sera sans doute parvenue au même résultat? Peut-elle déclarer à son père: «Il y a un vieux monsieur à Saint-Henri qui n'a pas le téléphone et qui n'habite plus chez lui»? Au mieux, il lui rira au nez; au pire, il lui passera une fois encore un savon en lui enjoignant de se mêler de ce qui la regarde.

Elle ne dira donc rien. Et moi, que vais-je faire? En quoi est-ce que ça me regarde, que le vieux Sanchez ait déménagé? En rien. En rien du tout...

Tout de même, je n'arrive pas à penser à autre chose. Ce détail m'intrigue. Une personne qui déménage ou part en maison de retraite ne laisse pas sa clé sous une statuette de jardin en s'en allant.

Je me rends compte que cette affaire, dont je me moquais au départ, commence à m'obséder. Non à cause de son mystère particulier, mais à cause de cette coïncidence dont, apparemment, seuls Thomas, Patricia et moi avons connaissance: le masque vert, qu'on retrouve dans deux affaires qui n'ont au premier abord aucun point en commun.

Un hasard?

Il n'y a pas de hasard. J'ai souvent entendu mon père prononcer cette phrase. Oui, il existe sans doute quelque chose qu'on peut appeler le hasard, mais le fait de retrouver au même moment, à propos de deux disparitions tout à fait intrigantes, un objet aussi particulier, ne peut pas dépendre seulement du hasard.

Mais à qui puis-je en parler? Mes parents me riront au nez si je leur raconte cette histoire, et ils n'apprécieront certainement pas que Thomas y soit mêlé.

Thomas? Thomas n'est qu'un enfant à l'imagination trop fertile, qui ne sait pas toujours faire la différence entre ses rêves et la réalité.

Reste Patricia. Mais elle a déjà montré qu'elle est allée trop loin dans cette aventure, et je ne me risquerai pas à la relancer sur ce sujet.

Je me retrouve donc seul devant cette interrogation qui, de plus en plus, devient une idée fixe: existe-t-il un lien entre monsieur Sanchez et la momie du Belvédère?

Il ne s'agit pas seulement d'une curiosité malsaine. En fait, ce qui me rend perplexe, c'est l'idée que monsieur Sanchez est peut-être menacé. Pourquoi a-t-il disparu? Pour éviter de subir le même sort que la vieille dame de Westmount? Ou bien… Ou bien ne serait-il pas déjà, lui aussi, assis pour toujours dans son fauteuil, dans sa propre maison, desséché ou momifié par le mystérieux «embaumeur»?

Histoire de fous… Je devrais cesser de me torturer l'esprit à ce sujet. Il suffirait d'avertir la police, ne serait-ce que par le biais de Patricia. J'hésite, cependant. Si tout cela n'est qu'une fiction due à mon imagination, je me couvrirai de ridicule et je n'oserai plus regarder Patricia en face…

Le temps ne passe pas. Je reste étendu sur mon lit, dans l'indécision la plus totale, jusqu'à l'heure du souper.

Le repas terminé, je retourne dans ma chambre et je regarde sur Internet si de nouvelles informations sont disponibles sur l'affaire de la momie. Rien, ou presque. Un bref article indique simplement que le cambrioleur qui a brisé la fenêtre pour s'introduire dans la maison du Belvédère ne semble pas avoir volé grand-chose. Ce qui se comprend. Tomber sur une vieille dame momifiée dans sa chambre ne faisait sans doute pas partie de ses attentes. L'homme aura paniqué et se sera sauvé sans demander son reste, oubliant de vider les tiroirs…

Finalement, ne tenant plus en place, je décide de sortir pour me changer les idées. La nuit ne va pas tarder et marcher dans l'obscurité me calme souvent lorsque j'ai des soucis. Prétextant une rencontre avec Sébastien pour un travail scolaire, je quitte donc la maison, rejoins le canal de Lachine et franchis une fois encore la passerelle. J'aime longer le canal, d'habitude. Ce paysage nocturne, avec ses anciennes usines reconverties en lofts et ses ruines aux ombres inquiétantes, me donne l'impression de plonger dans un monde qui me rappelle celui de certains jeux vidéo mettant en scène des univers ravagés par la guerre – même si, en réalité, l'endroit est parfaitement calme. Pourtant, instinctivement, mes pas me portent plutôt vers la rue Notre-Dame. Le quartier est beaucoup plus animé du côté nord du canal – Saint-Henri – que du côté sud – Verdun ou Pointe-Saint-Charles. La nuit tombante n'y ralentit pas l'activité, les restaurants de diverses ethnies y sont nombreux et les passants vont et viennent avec animation.

Je remonte la rue vers l'ouest, sans me presser. Lorsque j'arrive en vue de la place Saint-Henri, il fait déjà nuit. Je m'arrête un instant puis, presque malgré moi, je m'engage dans la rue du Couvent.

Cette rue est peu fréquentée le jour et, la nuit, elle est carrément déserte. Lorsque j'arrive devant la maison de monsieur Sanchez, je ralentis, regarde à droite, à gauche, la dépasse, continue mon chemin...

Aucune lumière aux fenêtres. Au bout d'une cinquantaine de mètres, je fais demi-tour. Il n'y a toujours personne dans la rue. Devant la maison aux fenêtres éteintes, j'hésite encore un moment, je jette un dernier coup d'œil aux environs puis, n'ayant remarqué aucun mouvement, je me glisse rapidement entre les deux maisons voisines. La petite grille est toujours ouverte. Je pénètre dans le jardin.

L'obscurité est totale. L'éclairage de la rue ne parvient pas jusqu'ici et il n'y a pas de lune à cause des nuages. Je distingue à peine, alignés près de la volée de marches qui mène à l'entrée du rez-de-chaussée, les trois nains de jardin, sentinelles immobiles qui ont plutôt l'air de trois gnomes mal embouchés.

La maison est silencieuse, plongée dans l'ombre. Même la rumeur de la rue Notre-Dame ou celle de la rue Saint-Antoine, par-delà les toits, ne parvient pas jusqu'ici. Cet endroit semble mort. Qu'est-ce que je fais là ? Pourquoi est-ce que je ne rentre pas chez moi ?

Pourtant, je ne fais pas un mouvement. Il règne dans ce jardin en friche noyé dans les ténèbres une atmosphère étrange qui me tient sous son charme. D'autant plus que, par une déchirure de la couche nuageuse, la lumière de la lune a brièvement illuminé le mur de la maison. J'ai alors pu entrevoir, plus précisément, durant un instant, les trois statuettes.

Il ne s'agit pas de nains de jardin, à proprement parler, mais plutôt de figurines d'un genre mexicain ou précolombien. Dans la pénombre, elles paraissent plus menaçantes que souriantes. Même si leur visage est moins effrayant que le fameux masque vert de monsieur Sanchez, ces personnages ressemblent davantage à des démons qu'à des divinités protectrices...

Puis la lune disparaît et le jardin sombre de nouveau dans les ténèbres. C'est alors qu'un léger bruit me fait revenir sur terre. Un crissement sur le gravier d'une des allées qui conduisent à la rue!

Un chat? Non, un chat est parfaitement silencieux. C'est quelqu'un qui s'avance à pas lents dans l'allée! Sans réfléchir, je me lance vers l'autre allée, du côté opposé, en essayant de ne pas me faire remarquer et de ne pas trébucher dans le gros buisson qui pousse près des marches et dissimule toute une partie du mur.

L'herbe, heureusement, étouffe le bruit de mes pas. Je n'ai que le temps de passer derrière le mur et de m'immobiliser pour ne pas me signaler à mon tour en piétinant le gravier.

J'ai le cœur qui bat à toute vitesse. Qui peut bien venir dans ce jardin abandonné à une heure pareille? Je n'ose plus bouger, de peur de trahir ma présence. Je devrais pourtant me remettre en marche, m'éloigner rapidement en longeant le mur et en marchant sur l'herbe. Mais la curiosité me démange. L'inconnu a pénétré dans le jardin et il semble s'être arrêté à son tour devant les trois figurines.

Je crois percevoir son souffle, même si je devine qu'il demeure immobile. Il semble hésiter sur la conduite à suivre. Puis j'entends des raclements sur la pierre, suivis bientôt d'un tintement plus clair. Je comprends tout à coup! L'homme a déplacé la statuette sous le socle de laquelle se trouve la clé de la maison!

Quelqu'un d'autre connaît donc cette cachette. Qui? Et pourquoi venir s'en emparer dans le noir? Un soupir de satisfaction. Puis le claquement léger de talons sur les marches de pierre. Et, enfin, le cliquetis d'une clé qu'on glisse dans une serrure. Ou, plutôt, qu'on essaie d'y faire glisser. Car, malgré des tentatives répétées, l'inconnu ne parvient manifestement pas à ouvrir la porte.

Je l'entends grommeler d'une voix sourde. Puis, de nouveau, le bruit des talons sur la pierre, et le raclement du socle de la statuette, entrecoupé de jurons presque inaudibles. Furieux, l'homme a remis la clé à sa place! Le bruit de ses pas est maintenant plus nerveux. Il repart par où il est venu sans chercher à demeurer silencieux. Ne pas bouger? Non, je dois savoir qui est cet homme...

Longeant le gravier sans poser le pied dessus, je rejoins la rue avec précaution, prêt à me plaquer contre le mur tout proche si jamais l'homme reprend le trottoir en direction de la rue Saint-Antoine plutôt que dans l'autre sens.

Par chance, il repart de l'autre côté. Parvenu à l'angle de la maison, je me penche doucement pour tenter de l'apercevoir. Effectivement, une silhouette s'éloigne d'un pas nerveux vers la rue Notre-Dame. Et là, je frémis.

Cette démarche, cette allure, je les reconnais! Je sais qui a tenté d'entrer chez monsieur Sanchez!

10

DANS L'OMBRE

— Je te jure, je croyais que j'étais poursuivie par ce type!

Patricia est assise en face de moi, de méchante humeur, devant un chocolat chaud auquel elle n'a même pas touché. Elle est encore tout essoufflée.

— Tu aurais pu m'appeler, non? grogne-t-elle. Tu m'as fichu une de ces frousses!

Elle me dévisage durement. Je ne saurais dire si c'est la peur ou la colère qui domine dans ses sentiments.

— Je n'ai pas voulu crier dans la rue, dis-je enfin. Je ne voulais pas attirer l'attention.

— L'attention de qui? La rue était déserte.

Je ne sais pas quoi répondre. Tout à l'heure, rue du Couvent, quand j'ai reconnu Patricia, je me suis mis à courir pour la rattraper. Elle a entendu le bruit de ma course, mais elle n'a pas osé regarder en arrière. Elle a cru que quelqu'un l'avait vue rôder dans le jardin de monsieur Sanchez et cherchait à lui mettre la main dessus. Elle s'est enfuie à perdre haleine, affolée, et je l'ai poursuivie de plus belle.

Finalement, parvenue rue Notre-Dame, comme il y avait des passants, elle a ralenti et s'est retournée pour me faire face. Elle a paru à la fois soulagée et furieuse. Patricia est la seule personne que je connaisse qui soit capable d'éprouver des sentiments contradictoires aussi forts et au même moment…

Nous sommes entrés dans un café qui vient d'ouvrir, juste au coin de la rue. Je savais que Patricia n'allait pas parler la première. Elle s'est sans doute sentie ridicule et, quand elle est vexée, elle se ferme comme une huître.

— Je suis vraiment désolé de t'avoir effrayée. Mais je n'étais pas dans mon état normal, moi non plus. Je ne t'avais pas reconnue, dans le jardin. Je n'osais même pas jeter le moindre coup d'œil, puisque j'étais terrorisé à l'idée que l'inconnu se rende compte de ma présence et me fasse subir un mauvais traitement.

Je n'ai pas choisi ce mot au hasard. Le fait que j'avoue avoir été terrorisé passe un baume sur le cœur de Patricia qui, enfin, sourit légèrement. Je peux donc continuer.

— Tu as eu le même pressentiment que moi, en fait. Tu penses aussi qu'il y a quelque chose de bizarre avec cette maison?

— Oui, répond Patricia. Je voulais en avoir le cœur net. C'est pour ça que je suis venue. Ça me démangeait. Quelqu'un qui laisse sa clé comme ça en sortant a l'intention de rentrer dans la journée même. On n'agit pas ainsi lorsqu'on part pour plusieurs jours, encore moins pour plusieurs semaines. Il est donc arrivé quelque chose à monsieur Sanchez. Quelque chose qu'il n'avait pas prévu.

Je suis bien de son avis. Cependant, tout à coup, je me rends compte qu'il y a quelque chose qui cloche dans le discours de Patricia. Cet après-midi, alors que nous nous trouvions dans le jardin de monsieur Sanchez avec Thomas, à aucun moment celui-ci n'a fait allusion à l'endroit précis où il savait que se trouvait la clé.

Ce n'est que plus tard, alors que nous franchissions la passerelle, hors de la présence de notre amie, qu'il m'en a indiqué la cachette. Comment Patricia a-t-elle su que la clé se trouvait sous le socle d'une des statuettes?

Constatant mon air soupçonneux, elle me demande ce qui me chiffonne. Je suis un peu gêné et je mets un moment avant de répondre:

— Comment as-tu su, pour la clé?

Patricia me dévisage avec des yeux ronds, puis elle éclate de rire. Devant ma mine décontenancée, elle daigne m'expliquer:

— Voyons, Julien, ce truc est vieux comme le monde. J'ai tout de suite pensé à ça, avant même d'arriver dans le jardin. Thomas avait dit qu'il savait où se trouvait la clé, et ce devait être dans un endroit accessible par lui. Les rebords de fenêtre sont trop hauts pour lui. Il n'y a pas de paillasson devant l'entrée ni en bas des marches. Il ne restait que le traditionnel pot de fleurs ou le nain de jardin – qui se trouve ici être une statuette d'un autre genre. J'ai commencé par celle de gauche et, bien sûr, au deuxième essai, j'avais trouvé.

Je hoche la tête. Il est vrai que Patricia est vive d'esprit et qu'elle lit beaucoup. Elle a toujours une longueur d'avance sur nous autres…

— Ce qui m'a étonnée, en revanche, poursuit-elle en reprenant son sérieux, c'est que cette clé n'entre absolument pas dans la serrure de la porte. Là, je ne comprends plus.

Je me gratte la joue, perplexe. Effectivement, lorsque j'ai entendu ses essais infructueux pour faire jouer la clé dans la serrure, j'ai trouvé ça bizarre, moi aussi.

Mais, brusquement, la solution m'apparaît; si simple, si évidente que nous ne l'avons pas vue.

— Et si cette clé ouvrait la porte avant?

Cette fois, c'est Patricia qui reste bouche bée.

— Tu marques un point, Julien, concède-t-elle avec le sourire.

Je me rengorge, content d'avoir impressionné mon amie. Mais elle ne me laisse pas le temps de savourer ce petit plaisir.

— Alors? fait-elle vivement.

— Alors quoi?

— On y retourne?

Je n'en reviens pas. Pour quelqu'un qui ne voulait plus entendre parler de cette affaire, Patricia m'a l'air bien mordue.

— Nous n'entrerons pas, précise-t-elle en constatant que je ne semble pas très chaud. Il s'agit seulement de vérifier ce que cette clé ouvre vraiment.

— Ce sera moins discret qu'à l'arrière, fais-je remarquer. La porte est tout près de la rue.

— À cette heure-ci, il n'y a personne. Et puis tu feras le guet, ajoute-t-elle d'un ton sans réplique.

— Bon, si tu le dis…

Patricia avale son chocolat tiède et se lève. Je la suis. Nous reprenons la rue du Couvent. Quelques instants plus tard, nous nous retrouvons de nouveau devant la maison de monsieur Sanchez.

Coup d'œil à droite, à gauche. Personne. Nous filons dans l'allée. La lune est toujours masquée par les nuages, mais les lieux nous sont familiers à présent. En un clin d'œil, Patricia récupère la clé sous la statuette du milieu, puis nous revenons vers l'avant.

Cette fois, il s'agit d'être plus prudents. Qu'un voisin nous aperçoive en train d'essayer d'entrer dans la maison et un patrouilleur de police débouchera de la rue en moins de trois minutes.

Patricia me suggère de me tenir sur le trottoir d'en face, d'où j'aurai une meilleure vue des deux côtés de la rue, et de siffler légèrement si je vois arriver quelqu'un. À ce moment-là, elle retournera se cacher dans le jardin et moi, pour ma part, je partirai d'un pas lent du côté opposé à celui par où viendra le gêneur, de manière à ce qu'il ne puisse pas voir mon visage.

— Essaie d'avoir l'air de rien, lâche Patricia alors que je m'apprête à traverser la rue.

Avoir l'air de rien! Le seul fait qu'elle m'ait donné ce conseil me rend nerveux.

Comment peut-on «avoir l'air de rien»? Dois-je siffloter en faisant les cent pas et en regardant les étoiles? C'est ridicule. Je me rends compte à quel point il est difficile d'avoir l'air de rien quand, justement, on fait tous les efforts possibles pour avoir cet air-là.

Mal à l'aise, je rejoins mon poste tandis que Patricia se glisse sous le porche d'entrée. En fait, je dois avoir l'allure parfaite du gars qui cherche à faire un mauvais coup. J'espère qu'elle va faire vite…

Tout en balayant la rue du regard, j'entrevois mon amie qui tente de glisser la clé dans la serrure. Elle se tient légèrement courbée, car cette partie de la porte, à cause de l'auvent qui la surplombe, se trouve dans une obscurité presque totale. Je distingue mal, mais le mouvement nerveux de ses épaules semble montrer qu'elle n'y parvient pas. Elle essaie de nouveau, s'agite, se redresse, recommence. Elle s'écarte pour tâcher de mieux voir malgré l'obscurité, reprend ses tentatives sans pouvoir les mener à bien.

Tout à coup, elle se redresse et se retourne vers moi. Elle hausse les épaules en signe d'impuissance et d'énervement. Puis, d'un signe de tête, elle m'indique de la suivre et s'engage de nouveau dans l'allée latérale.

Je retraverse la rue en vitesse et je la rejoins dans l'ombre du jardin.

— Ça ne fonctionne pas, murmure-t-elle. J'ai pourtant tout essayé. Il y a deux serrures et aucune ne correspond à cette maudite clé. Qu'est-ce que ça peut bien signifier ?

— Peut-être le vieux a-t-il fait changer ses serrures récemment ?

— En laissant l'ancienne clé dans le jardin ?

— Il l'aura oubliée. Les gens âgés perdent la mémoire, c'est bien connu. Il paraît qu'il y en a qui ne savent même plus manger…

Patricia secoue la tête d'un air dubitatif. Elle s'assoit sur les marches et regarde la clé, posée à plat dans sa main.

— Je ne le jurerais pas parce que je n'y voyais pas très clair, mais je n'ai pas eu l'impression que les serrures ont été changées.

Debout devant elle, les mains dans les poches, je la regarde sans rien dire. Je crois que nous faisons fausse route avec cette clé. Une vieille clé abandonnée, oubliée, même plus capable d'ouvrir la porte de nos rêves. Nous nous sommes laissé emporter par notre imagination. Ou par celle de Thomas…

Soudain, une lumière apparaît dans mon dos, éclairant le visage contrarié de Patricia.

Mon amie redresse la tête d'un mouvement brusque.

— Fichons le camp, siffle-t-elle entre ses dents tout en se levant, comme propulsée par un ressort qu'on viendrait de relâcher.

Plaquant ses mains sur son visage, elle file comme une flèche dans l'allée de gravier. Je ne perds pas de temps en vaines réflexions. Patricia est déjà presque rendue à la rue, le dos courbé comme pour mieux se dissimuler.

— Vite! Vite! s'écrie-t-elle.

Je me lance à sa suite et enjambe la grille d'un bond. Sur le trottoir, nous tournons vers la gauche et, comme des dératés, nous filons vers la rue Notre-Dame sans demander notre reste.

11

L'HÉRITIER

Nous nous sommes rapidement séparés pour rentrer chacun chez soi.

— Je ne tiens pas à ce que mon père me fasse encore une scène en me demandant où je suis allée traîner cette nuit, a déclaré Patricia.

Avant de la quitter, je voulais quand même savoir d'où provenait la lumière qui avait interrompu notre discussion sur les marches. Qu'avait-elle vu exactement? Et, bien sûr, *qui* nous avait vus?

— Personne, je crois, a-t-elle répondu à ma question. Enfin, je l'espère. La lumière venait d'une fenêtre du dernier étage de l'immeuble d'en face. Je ne pense pas que la personne ait eu le temps de nous apercevoir. En général, quand on veut espionner quelqu'un dans la rue depuis un appartement, on n'allume pas la lampe. D'abord parce qu'on voit mieux ainsi, ensuite parce qu'on ne se fait pas repérer soi-même.

— Oui, mais ton visage a été éclairé, même si ça n'a pas duré longtemps.

— Bien sûr, mais entre le moment où quelqu'un appuie sur un interrupteur dans une pièce et celui où cette personne arrive à la fenêtre, il s'écoule un certain temps. Au pire, quelqu'un aura entrevu deux silhouettes, de dos, s'enfuyant dans la nuit.

Je suis rentré seul, plus ou moins rassuré sur les événements de la soirée. Mais une chose est certaine : si un voisin nous a vus nous sauver, il aura tendance à surveiller la maison de monsieur Sanchez dans les jours à venir. Peut-être signalera-t-il à la police une tentative d'effraction.

Rendu à la maison, j'ai vaguement salué mes parents, avachis sur le canapé devant la télé. Ils m'ont à peine répondu. J'ai regagné ma chambre, à la fois soulagé et agacé par leur indifférence. Thomas, lui, était déjà couché.

Le lendemain, à l'école, Patricia a l'air maussade. Je lui demande si elle s'est fait engueuler par son père.

— Non, ce n'est pas ça, répond-elle. Mais une fois à la maison, je me suis rendu compte que, dans notre fuite, j'avais gardé la clé dans ma main. Je l'ai toujours. C'est… c'est du vol, en quelque sorte. Et si Sanchez revient chez lui? Je devrais aller la remettre à sa place…

— Mais tu as peur d'être vue.

— Oui. Il y a eu trop de monde hier dans ce minuscule jardin. Nous avons peut-être attiré l'attention d'un voisin. Et je peux te dire que, dès qu'il s'agit de fourrer son nez dans les affaires des autres et de passer un coup de téléphone à la police sans être vu, les héros poussent comme de la mauvaise herbe.

— La dénonciation anonyme est un sport populaire vieux comme le monde.

Patricia sourit.

— Tu parles comme un livre, Julien.

— Le cerveau ne s'use que quand on ne s'en sert pas.

Elle hausse les épaules.

— Jolie phrase, mais ça ne me dit pas ce que je dois faire, déclare-t-elle d'un ton las.

— J'ai bien une idée, mais…

L'arrivée de Sébastien coupe court à notre conversation. Je ne tiens pas à le mêler à notre lamentable aventure, et Patricia semble le comprendre. La sonnerie retentit et nous nous dirigeons vers nos salles de classe.

La journée se passe sans que j'aie l'occasion de revoir Patricia en tête-à-tête. Tant pis. Ou tant mieux, plutôt! Mon idée était vraiment mauvaise et je suis content, en fait, de ne pas avoir pu la lui proposer.

Oserai-je le dire? Je pensais confier cette mission à Thomas. «Qui se méfierait d'un enfant?», avais-je pensé. J'ai un peu honte à présent d'avoir imaginé une telle absurdité mais, heureusement, personne n'en saura rien. Toute cette histoire me dépasse.

Finalement, après les cours, je décide de filer avant de me retrouver devant Patricia. Je ne voudrais pas qu'elle me demande quelle était mon idée. J'ai parfois du mal à lui résister... Nous reparlerons de tout ça demain. Si nous en parlons...

Une fois rentré chez moi, je traîne un peu sur Internet pour me rendre compte que le sujet de la momie du Belvédère ne fait déjà plus recette. Les Canadiens qui viennent de perdre un match à plates coutures, des émeutes qui prennent de l'ampleur en Europe de l'Est et l'annonce d'une prochaine campagne électorale occupent tout l'espace dans les médias. À croire qu'il n'y a pas la place pour plus de trois informations dans la même semaine... La momie de madame Lajeunesse n'aura pas vécu très longtemps! Je suis d'autant plus étonné quand, au cours du souper, mon père remet l'affaire sur le tapis.

— Tiens, fait-il en mâchouillant une bouchée de steak, saviez-vous qu'on a retrouvé l'héritier de madame Laframboise?

— Qui ça?

— La momie. La vieille femme de Westmount.

— Madame Lajeunesse, corrige ma mère.

— Oui, c'est bien ça. Eh bien, son héritier s'est fait connaître. Après plusieurs démarches auprès du notaire de la dame, il s'est présenté à sa banque. Un collègue qui travaille à sa succursale m'a raconté la scène. L'entrevue, m'a-t-il assuré, valait son pesant de vinaigre.

— Un de ses enfants?

— Non. Un neveu assez éloigné, qui prétend de surcroît n'avoir pas vu sa tante depuis près de cinquante ans. Il a appris sa mort par les journaux et il réclame haut et fort son héritage.

— Pourquoi est-il resté aussi longtemps sans la voir? Il vivait à l'étranger? demande ma mère.

— Pas du tout. Il vit à Montréal et n'en est jamais sorti, selon lui. Mais il a déclaré, tout de go, que la vieille était folle à lier et que pour rien au monde il n'aurait mis les pieds chez elle.

— Un joli personnage, commente ma mère avec une moue de dégoût. Arriver à l'heure de détrousser le cadavre. Belle mentalité. J'espère qu'on l'a envoyé promener.

— Ce n'est pas si simple. Il dit que sa tante était tombée sous l'influence perverse de José Alban et que celui-ci, après l'avoir purement et simplement assassinée, l'a momifiée et n'a pas déclaré sa mort pour jouir de ses biens et le déposséder, lui le neveu, de son héritage.

— Plutôt confus, cette histoire.

— En effet, approuve mon père. Mais logique, aussi. Alban a continué pendant des années, après la mort de madame Lajouvence, à rendre visite à sa momie et à vider régulièrement ses comptes. Cela aurait pu durer encore très longtemps. C'est lui le vrai criminel, dans l'affaire. La police le recherche d'ailleurs toujours.

— Bien sûr, remarque ma mère, songeuse. Mais le neveu, même si aucune loi ne l'y obligeait, aurait pu prendre des nouvelles de sa tante, surtout s'il espérait en hériter. Je ne le trouve pas très propre, lui non plus. En quoi le mérite-t-il, son héritage?

— Ce n'est pas une question de mérite, réplique mon père. C'est la loi. Et la loi, c'est la loi.

Ma mère hausse les épaules et fait un geste de la main, comme pour signifier que le débat est clos. Je me souviens qu'une fois, à la fin d'une discussion qu'il avait conclue par la même formule, elle lui avait lancé : « Et si la loi te demandait de te pendre, tu le ferais ? »

Quand il s'agit de débattre en face de ma mère, mon père n'est pas de taille…

Tout à coup, Thomas, qui a suivi la discussion sans ouvrir la bouche, intervient :

— En tout cas, affirme-t-il sur un ton très sérieux, on ne le retrouvera pas, le José Alban.

— Et pourquoi ça ? demande mon père en se tournant vers lui, étonné par cette sortie.

— Parce qu'il est mort, répond Thomas sans sourciller.

— Comment peux-tu savoir une chose pareille ? Tu affabules. Tu devrais cesser de lire des livres stupides.

— C'est toi qui devrais cesser de raconter ce genre d'histoire à table, coupe ma mère avec vigueur. Et puis, Thomas a peut-être raison. Pourquoi ce bonhomme aurait-il disparu alors qu'il aurait pu continuer son petit manège pendant des années ?

Mon frère se rengorge. «Et puis, Thomas a peut-être raison», a dit ma mère. Les chevilles vont lui enfler, à Thomas... Il n'a cependant guère le temps de savourer sa victoire.

— J'ai préparé une tarte aux fruits, annonce-t-elle en se levant. Je vais la chercher, mais je ne veux plus entendre parler de momie, ni de mort ni de disparus.

Ce dessert délicieux fait l'unanimité et même mon père décide de se taire. Le repas se termine dans une relative bonne humeur, la tarte étant excellente. Et mon père ainsi que Thomas n'émettent plus d'autre bruit que des claquements de langue satisfaits.

Plus tard, alors que mes parents se sont installés comme presque tous les soirs devant la télé, je rejoins mon frère dans sa chambre en affectant un air complice. Thomas est toujours impressionné lorsque je daigne me présenter dans son domaine sans que ce soit pour lui réclamer quelque chose. Je m'assois sur son lit pour lui demander à voix basse – la voix idéale pour les échanges de secrets :

— Dis-moi, Thomas, comment sais-tu que José Alban est mort ? Où as-tu trouvé cette information ? Tu es un vrai détective.

Thomas, tombant dans mon piège, rougit de plaisir. Il se tortille un peu puis avoue :

— En fait, j'ai dit ça comme ça. Je n'en sais rien. C'est une intuition. (Il insiste sur ce mot comme s'il suçait un bonbon.) Mais j'ai sûrement raison, c'est maman qui l'a dit.

— Elle a dit que tu avais «peut-être» raison. C'est différent. Mais je suis d'accord avec elle.

Thomas semble aux anges. Je laisse s'écouler un instant avant de reprendre, poursuivant une idée qui m'est venue pendant que je mangeais mon dessert.

— Dis-moi, tu te souviens bien de la maison de monsieur Sanchez? Je veux dire, de l'intérieur.

— Pas très bien, non. Je n'y suis entré qu'une seule fois. C'était un vrai fouillis.

— Mais il t'a fait passer par quelle porte?

— Oh, ça je me souviens. Par la porte de devant. D'ailleurs, dans la grande pièce où se trouvait le masque de Quetzalcóatl, la porte qui aurait dû donner sur le jardin était condamnée. Il y avait tout un bric-à-brac devant et on ne pouvait pas y accéder. Mais pourquoi me demandes-tu ça? À cause de la clé?

Rusé, mon petit frère…

— Oh, non, je disais ça comme ça, fais-je avec un geste désinvolte. C'est tellement bizarre, toute cette histoire.

Je ne sais pas si Thomas me croit, mais il est hors de question que je lui parle de mon équipée d'hier soir avec Patricia. Quoi qu'il en soit, je suis certain d'une chose: la clé dissimulée sous la statuette n'ouvre aucune des deux portes ordinaires de la maison.

Qu'ouvre-t-elle donc?

12

DES NOUVELLES DE SANCHEZ

Le lendemain, à l'école, je n'ai pas le temps de demander à Patricia ce qu'elle pense du mystère de la clé. Aussitôt qu'elle m'aperçoit, elle me rejoint et m'entraîne dans un coin isolé de la cour.

— On a retrouvé Sanchez, s'exclame-t-elle après avoir vérifié que personne ne pouvait nous entendre.

— Sanchez? Où était-il passé?

— À l'hôpital. Celui de Verdun. Il y est encore.

— Mais comment sais-tu tout ça?

— Tu ne devines pas? fait-elle d'un ton narquois.

Puis elle me raconte ce qui s'est passé hier chez elle. Bien que son père n'aime pas parler de son métier en présence de sa fille, il lui arrive de se relâcher un peu, surtout quand il est fatigué et que Patricia s'occupe de lui. Alors le sergent-détective Lévesque laisse tomber sa garde et déroge à sa règle habituelle.

Hier soir, justement, il était exténué. Après le repas, Patricia lui a proposé de lui masser les épaules en lui faisant écouter de la musique relaxante. Le policier a accepté. Sa fille lui a planté ses doigts dans les muscles des épaules et a commencé à les lui pétrir, d'abord avec vigueur, puis avec plus de douceur.

Très vite, il s'est laissé aller dans son fauteuil et a fermé les yeux. Dans ces cas-là, il devient presque un autre homme. Il faut dire que Patricia ressemble énormément à sa mère, que j'ai vue à quelques reprises il y a quelques années, avant qu'elle ne soit emportée par un cancer. Le policier, comme si ce traitement le libérait de ses devoirs de confidentialité, s'est mis à parler de l'enquête en cours.

La recherche de José Alban mobilise d'autant plus de monde qu'il n'y a pratiquement aucun indice permettant de le retrouver. Parmi d'autres raisons pouvant expliquer sa disparition, on a évoqué l'éventualité qu'il ait eu un accident et qu'il se soit retrouvé à l'hôpital, peut-être sans la possibilité de pouvoir parler. Les policiers ont donc enquêté sur les patients entrés dans les centres hospitaliers de Montréal et de la région, à la recherche d'un homme correspondant au signalement d'Alban.

— Finalement, a conclu le sergent Lévesque, nous n'avons pas pu mettre la main sur lui. Le seul patient qui réponde au signalement de notre homme, pour vague qu'il soit, n'a rien à voir avec lui. C'est un petit vieux de notre quartier, un nommé Sanchez, qui n'habite pas loin de chez nous, à Saint-Henri. Renversé par une voiture avenue Atwater, il y a plus de trois semaines, il est resté tout ce temps dans une sorte de coma et il n'a repris conscience qu'avant-hier.

Patricia a eu du mal à réprimer sa réaction, mais son père, savourant le bien-être physique que lui procurait sa fille, n'a rien remarqué. Puis il s'est tu, le reste de ce qu'il pouvait savoir du déroulement de l'enquête demeurant confidentiel.

Tôt ce matin, Patricia a appelé le CHUM pour avoir des nouvelles d'un vieil oncle, a-t-elle prétendu, dont elle avait appris l'hospitalisation. On lui a obligeamment indiqué le numéro de sa chambre, ainsi que le nom de l'hôpital dans lequel il se trouvait : celui de Verdun.

— Alors, qu'est-ce que tu en penses ?

— Ça explique la disparition de monsieur Sanchez, dis-je, mais ça nous avance à quoi ? Tu veux aller lui rendre sa clé en main propre ?

— Non, bien sûr, répond Patricia en haussant les épaules. Ce n'est pas ce que je te demande. Mais réfléchis un peu. D'après les policiers, monsieur Sanchez n'a rien à voir avec José Alban parce que, pour eux, il n'existe entre les deux hommes aucun autre lien qu'une probable date de disparition. Nous, en revanche, nous savons qu'il en existe un.

— Tu veux parler du masque?

— Oui.

— Tu en as parlé à ton père?

— Tu n'y penses pas, voyons! Il a horreur que j'intervienne dans ses affaires. Et puis, il ne prouve rien, ce masque. Cela peut être une coïncidence, un goût commun pour les civilisations précolombiennes.

— Sacrée coïncidence, si tu veux mon avis.

— On peut le voir ainsi, coupe Patricia. Mais cela ne signifie pas que Sanchez et Alban soient le même homme. Le masque donne à croire que Sanchez connaissait la vieille dame du Belvédère, et peut-être était-ce lui qui venait lui rendre visite. Mais tu m'as dit toi-même que, d'après ton père, Alban ne s'était pas présenté en personne à la banque depuis longtemps.

— Admettons. Mais si Sanchez connaissait madame Lajeunesse, peut-être connaît-il aussi Alban. Alban est né au Mexique, il me semble, et Sanchez est un nom espagnol. Peut-être viennent-ils du même pays. Peut-être sont-ils complices. Ou ennemis. Qui sait si ce n'est pas Alban qui a tenté de tuer Sanchez en l'écrasant avec sa voiture?

— Quand il s'agit d'exploiter ou de tuer une vieille dame, il n'y a ni ami ni ennemi. Il n'y a que des intérêts en jeu. Des intérêts répugnants.

— Qu'est-ce que tu proposes, alors? Tu ne veux rien dire à ton père, as-tu affirmé tout à l'heure. Tu ne veux tout de même pas faire justice toi-même?

— Bien sûr que non, réplique Patricia. Pour tout te dire, je ne sais pas quoi faire du tout. C'est ça mon problème. Je ne sais plus que penser. Il n'avait pas l'air d'un criminel, ce Sanchez, du temps où Thomas allait le voir chez lui. Il avait plutôt l'air d'un vieux bonhomme paisible.

— Si les criminels avaient l'air de ce qu'ils sont, ce serait trop simple. Ton père est payé pour le savoir…

Patricia hoche la tête. Tout à coup, je me rends compte qu'elle est en train de se tortiller, comme Thomas quand il a quelque chose à cacher. Elle semble mal à l'aise, ce qui ne lui ressemble pas beaucoup. Que lui arrive-t-il? Son père lui a-t-il appris autre chose, qu'elle n'ose pas me dire?

Je la fixe dans les yeux.

— Patricia, tu me caches quelque chose?

Mon amie baisse les paupières, passe sa langue sur ses lèvres comme si celles-ci étaient desséchées, puis elle prononce à voix basse:

— En fait, j'ai bien une idée, mais...

— Mais?

Elle hésite, se balance d'un pied sur l'autre. Je ne la reconnais pas. Puis elle se lance, comme si elle se jetait à l'eau.

— Écoute, je dis peut-être une bêtise, mais voilà mon idée. Thomas semblait avoir de bons rapports avec le vieux monsieur Sanchez. S'il allait le voir à l'hôpital, il pourrait discuter avec lui et...

Patricia s'interrompt. Elle a l'air gênée. Pour ma part, je suis sidéré! Quand je pense que, pas plus tard qu'hier matin, c'est moi qui voulais proposer d'utiliser Thomas pour aller remettre la clé à sa place sous la statuette! Je ne sais pas si je dois me sentir soulagé ou affligé de voir que nous avons les mêmes idées incongrues à propos de mon frère.

— Mon idée te paraît folle? Oui, c'est ton petit frère, je sais, mais on l'accompagnerait.

J'ai parfois l'impression que Patricia lit dans mes pensées.

Cependant, à la réflexion, son projet n'est pas si bête que ça. D'abord parce que Thomas, si c'est Patricia qui le lui demande, fera ce que nous voulons. Ensuite parce que mon frère est un enfant et que monsieur Sanchez ne se méfiera pas de lui. Si nous préparons soigneusement les questions qu'il doit lui poser, nous pourrions peut-être en apprendre plus long sur ses relations – si relations il y a – avec la vieille dame de Westmount et avec le mystérieux José Alban.

— Alors ? insiste Patricia.

— Ça pourrait se faire, accepté-je enfin. Thomas serait ravi. À condition que ce soit toi qui le lui proposes. L'autre jour, il me semble qu'il était prêt à entrer dans la maison.

— D'accord. Il revient chez vous de bonne heure, d'habitude, non ? Je l'appellerai d'ici dès que nos cours seront terminés pour qu'il nous attende chez toi. Tes parents rentrent à quelle heure ?

— Rarement avant six heures. Et l'hôpital de Verdun est à moins de vingt minutes à pied de la maison. Ça nous laisse le temps.

Patricia a vraiment l'air déterminée.

13

LE VIEIL HOMME HORS DU TEMPS

Nous voilà en route pour l'hôpital. Thomas, comme je l'avais prévu, s'est montré enthousiaste. La confiance qu'a semblé lui témoigner Patricia et l'importance de sa « mission » l'ont gonflé de fierté.

Nos intentions, cependant, sont loin d'être claires. Thomas, pour sa part, semble simplement soulagé de savoir que monsieur Sanchez n'a pas vraiment disparu, et il s'est montré content à l'idée de le revoir.

De mon côté, j'avoue que le vieux Sanchez ne m'inspire guère confiance. Je parierais qu'il a quelque chose à voir avec la disparition de l'autre, le José Alban, et que tous les deux étaient plus ou moins complices dans l'affaire de la momie. Deux escrocs, voilà ce que sont ces deux bonshommes.

Quant à Patricia, je n'arrive pas à comprendre ses motivations profondes. Au départ, elle ne semblait pas très chaude à la perspective de se mêler de cette histoire. Mais, depuis quelque temps, j'ai l'impression que, au contraire, elle s'y investit tout entière.

Veut-elle prouver quelque chose à son père ? Désire-t-elle lui montrer qu'il a tort de refuser son aide dans une affaire où la police piétine ? A-t-elle simplement l'intention de démontrer sa propre valeur, comme si elle étouffait dans un carcan familial imposé par ce respectable représentant de l'ordre ?

Au fur et à mesure que nous approchons de l'hôpital – aucun d'entre nous n'osant rompre le silence qui s'est installé depuis notre départ de la maison –, je perçois la nervosité croissante de mon jeune frère. Alors qu'il semblait plutôt joyeux il y a quelques instants, il me paraît plus agité à présent. Patricia lui a brièvement expliqué tout à l'heure qu'il entrerait seul dans la chambre de monsieur Sanchez pour ne pas « l'effrayer », et que nous l'attendrions dans le couloir. Thomas était fier de cette confiance ; il se sentait, je pense, l'étoffe d'un héros.

Mais on dirait que le héros, tandis qu'apparaît la masse imposante de l'hôpital, au bout du boulevard Lasalle, se dégonfle de plus en plus à l'approche de la rencontre.

Comme pour me donner raison, au moment où nous allons enfin entrer dans le bâtiment, Thomas s'immobilise, se tourne vers Patricia et demande d'une voix anxieuse :

— Qu'est-ce que je dois lui dire, à monsieur Sanchez?

Nous lui avons bien expliqué, avant de partir, qu'il devait simplement prétendre qu'il était inquiet de voir sa maison à l'abandon et qu'un voisin lui avait signalé que son vieil ami était hospitalisé. Et puis, une fois qu'il l'aurait mis en confiance, l'interroger sur son masque vert, en prétextant un travail scolaire à préparer sur les Aztèques.

Patricia, avec une patience toute maternelle, lui réexplique notre plan.

— Il ne faut surtout pas lui parler de la momie, ajoute-t-elle. Pas tout de suite, en tout cas. Mais dès que tu le sentiras assez détendu, tu pourras évoquer l'affaire, comme ça, l'air de rien, comme tu parlerais de la pluie et du beau temps. Tu guetteras ses réactions.

— Et s'il se fâche?

— Tu ne crains rien, Tom-Tom, affirme Patricia avec son sourire enjôleur. Nous ne sommes pas dans une ruelle sombre mais dans un hôpital. Il ne peut rien t'arriver, il est couché et il est très faible. Et puis nous serons là, tout près, dans le couloir. Nous entendrons tout. Nous serons prêts à intervenir...

Thomas semble rassuré par ces encouragements, mais je le devine quand même un peu angoissé. Patricia pose sa main sur l'épaule de mon frère, exerçant une légère pression vers l'avant, et nous pénétrons dans l'hôpital.

À l'accueil, une secrétaire nous indique où trouver la chambre de monsieur Sanchez, tout en décochant un grand sourire à Thomas, dont l'allure de petit garçon sérieux et sage l'a séduite.

— Tu es de sa famille ? demande-t-elle.

— C'est notre oncle, réplique Patricia avant que Thomas ne se mette à bégayer.

Puis, afin d'éviter de nouvelles questions qui pourraient être embarrassantes, elle nous entraîne à sa suite d'un pas vif. Parvenus à l'étage où se situe la chambre de monsieur Sanchez, toutefois, nous ralentissons l'allure.

Thomas se tient tout contre Patricia, impressionné par ce lieu où déambulent des gens de tous les âges qui ont l'air de fantômes. Vêtus de blouses bleu pâle ouvertes dans le dos, ils traînent parfois derrière eux des supports métalliques où sont suspendues des poches de liquides aux couleurs diverses reliées à leur bras par de longs tubes flexibles.

Nous arrivons enfin devant la porte de la chambre. Personne ne nous a rien demandé en route. Médecins et infirmiers sont trop occupés pour s'intéresser à nous.

Dernier conciliabule. À voix basse, Patricia recommande encore une fois à Thomas d'être prudent et de ne pas susciter la méfiance de monsieur Sanchez. Thomas avale sa salive en hochant la tête, puis il pénètre dans la chambre. Patricia et moi demeurons près de la porte, hors de vue de l'occupant de la pièce.

Dans un premier temps, nous n'entendons pas grand-chose, hormis le faible «bonjour» de Thomas. Monsieur Sanchez est-il endormi? Puis un murmure nous parvient enfin. Nous ne distinguons cependant pas ce qui se dit. La voix de monsieur Sanchez est très basse, et celle de Thomas, qui est sans doute impressionné, est presque inaudible.

Puis on entend une sorte de long soupir, et le silence retombe. Quelques instants plus tard, Thomas ressort de la chambre. Il paraît bouleversé.

— Qu'est-ce qui s'est passé? chuchote Patricia.

— Il s'est endormi.

— On s'en doute bien! fais-je d'un ton agacé. Mais avant? Qu'est-ce qu'il t'a raconté?

— Pas grand-chose, répond Thomas. Il ne se souvient de rien. Je crois qu'il ne m'a même pas reconnu…

À ce moment, une infirmière se dirige vers nous et nous adresse la parole.

— Êtes-vous des parents de monsieur Sanchez?

— Non, non, répond vivement Patricia. Ce monsieur est un de nos vieux voisins. Nous passions le voir comme ça, pour prendre des nouvelles.

L'infirmière hoche la tête.

— Bon, il semble bien qu'il n'ait aucune famille, alors. Personne n'est venu le voir depuis qu'il est là. Heureusement qu'il avait ses papiers sur lui quand l'ambulance l'a amené ici, sinon nous n'aurions même pas su son nom. Ce pauvre homme est devenu complètement amnésique, apparemment.

L'infirmière secoue la tête d'un air résigné, puis elle reprend:

— Au fait, si vous êtes voisins, vous savez donc où il habite.

— Oui, répond Thomas qui a retrouvé sa voix. Et c'est vrai qu'il n'a pas de famille.

— C'est curieux, poursuit l'infirmière. Il n'avait même pas de clé dans ses poches. Je pensais donc que quelqu'un vivait avec lui et s'inquiéterait de son absence. Je m'étonnais de n'avoir vu personne.

Mon frère s'apprête à dire quelque chose, mais Patricia lui pose la main sur l'épaule et le pousse doucement vers l'extrémité du couloir en déclarant:

— Il se fait tard, nous devons rentrer. Nos parents vont s'inquiéter.

Thomas lui jette un regard interrogatif, mais je lui prends la main à mon tour, en ajoutant :

— Voyons, tu avais dit à maman que tu ne tarderais pas.

Cette fois, Thomas comprend et il nous emboîte le pas vers la sortie. L'infirmière n'a pas sourcillé.

Une fois dehors, nous essayons de faire le point. Le tour d'horizon est vite fait : nous n'avons rien appris de notre rencontre avec monsieur Sanchez, et nous n'apprendrons sans doute jamais plus. Nous repartons vers le canal, déçus et maussades.

— Vous croyez qu'il va guérir ? demande tout à coup Thomas.

— C'est possible, répond Patricia d'une voix morne. Mais peut-être pas. Il est vieux, ce n'est pas facile de se remettre d'un tel accident à son âge. Il ne rentrera peut-être jamais chez lui.

J'ai l'impression que mon frère va se mettre à pleurer.

— On ne peut rien faire pour lui ?

— Rien, Tom-Tom. Ce sont les médecins qui s'en occupent. Nous ne pouvons lui être d'aucune utilité.

— Mais il est tout seul! s'écrie Thomas. Il n'a plus personne. Il ne se souvient plus de rien. Il m'a souri, pourtant. À un moment, quand il me regardait, j'ai eu l'impression qu'il était content de me voir.

— C'est normal, Tom-Tom. Il était content de voir que quelqu'un s'intéressait à lui. Les gens malades se sentent souvent seuls au monde. Surtout à l'hôpital.

Mon frère baisse la tête en soupirant, et nous continuons notre chemin en silence. Puis, tout à coup, comme nous arrivons rue d'Argenson, à quelques pas de chez nous, il se redresse et déclare:

— J'ai une idée. Si nous lui rapportions un objet de chez lui, peut-être que ça lui ferait revenir la mémoire?

— Un objet de chez lui? s'étonne Patricia. Comment ça? Comment veux-tu entrer chez lui?

— C'est facile, puisque je sais où se trouve la clé.

Patricia échange un rapide coup d'œil avec moi. Elle a l'air prise de court. Je crois même qu'elle rougit légèrement.

— On n'a pas le droit d'entrer ainsi chez les gens, dis-je pour faire diversion. Même si on sait où ils ont caché leur clé. C'est... C'est illégal.

— Pourquoi est-ce que c'est illégal, bougonne Thomas, si c'est pour son bien? Et puis, on pourra toujours dire que c'est lui qui nous a demandé de le faire parce qu'il ne peut pas sortir de l'hôpital.

— Écoute, reprend Patricia, je vais y réfléchir. Mon père est policier, tu le sais, et je suis bien placée pour savoir ce qu'on a le droit de faire ou de ne pas faire. Je vais lui en parler et je te tiendrai au courant, d'accord?

Thomas semble satisfait de la réponse. Il acquiesce d'un hochement de tête. Je me rends bien compte, cependant, que mon amie n'a fait cette proposition que pour gagner du temps, et qu'elle ne veut pas en discuter devant mon petit frère.

— Maman doit être rentrée à l'heure qu'il est, dis-je à Thomas. Elle doit se demander où tu es passé. Si elle savait où nous sommes allés, elle ne serait sûrement pas très contente.

J'ai employé le «nous» à dessein. Ainsi, Thomas se sentira lié à Patricia par un secret et il tiendra sa langue. Nous sommes à présent devant chez nous. Ma mère est rentrée, effectivement. Je l'aperçois par la fenêtre de la cuisine, qui nous fait signe.

Je lui adresse un salut de la main, puis je demande à Thomas de lui dire que je vais raccompagner Patricia jusque chez elle.

Avant de partir, Patricia lui lance un clin d'œil de connivence en plaçant son doigt sur ses lèvres.

Quelques instants plus tard, alors que nous traversons le canal, je lui demande :

— Qu'est-ce que tu en penses, de l'idée de Thomas ?

— La même chose que toi, je crois. Une petite visite chez monsieur Sanchez s'impose. Mais sans ton frère, bien entendu.

14

LA MAISON SILENCIEUSE

En fin de compte, nous avons décidé de mener notre petite expédition le soir même. L'avantage d'être au secondaire, c'est qu'on n'a plus à justifier toutes nos sorties. Du moins pour certains…

Le père de Patricia, lui, ne voit pas d'un très bon œil les escapades nocturnes de sa fille, mais quel père est capable de lutter contre sa fille unique de quinze ans ?

À 20 h 30, alors qu'il fait déjà sombre, je rejoins Patricia au petit café qui fait l'angle des rues Notre-Dame et du Couvent. Je remarque avec un sourire que nous avons eu la même idée : tous les deux, nous sommes vêtus de noir…

Quelques minutes plus tard, nous nous retrouvons devant la maison de monsieur Sanchez. Le ciel est aussi nuageux qu'avant-hier et la rue n'est que faiblement éclairée. Après avoir vérifié que personne n'est en vue, nous nous glissons dans l'allée et franchissons la grille.

— Ça devient une habitude, chuchote Patricia.

Dans le jardin, nous n'y voyons pas grand-chose. Patricia a sorti la clé de sa poche. Elle la fait tourner dans sa main, pensive.

— Maintenant, il va falloir découvrir quelle porte ouvre cette clé, murmure-t-elle.

— Ce ne sera pas facile, dans le noir.

— Le jardin n'est pas si grand.

Je me souviens alors que, près des marches de pierre menant à la porte, du côté opposé à celui où se dressent les trois sta-tuettes, pousse cet épais buisson dans lequel j'ai failli me jeter l'autre soir, quand l'arrivée de Patricia m'avait tant effrayé.

Nous faisons le tour. Le buisson n'est pas très haut mais touffu, et il masque toute la partie du mur qui va des marches à l'angle de la maison. Nous nous en approchons et constatons qu'il dissimule une sorte d'exca-vation qui s'enfonce entre le mur et le perron, presque invisible à cause de l'obscurité.

Un escalier semble y conduire. Au fond, noir sur noir, se découpe la forme sinistre d'une entrée de cave. Nous descendons avec précaution. Une porte en bois massive, épaisse et rugueuse, ferme le renfoncement.

Patricia tire une lampe de sa poche.

— Je n'ai pas osé la sortir avant pour ne pas nous faire repérer, commente-t-elle. Place-toi contre la porte pour masquer la lumière.

Je fais comme elle me dit, et un mince faisceau lumineux jaillit, dessinant un rond jaune sur le bois brut. Une serrure, qui me semble beaucoup plus récente que la porte elle-même, apparaît au milieu.

Patricia y introduit la clé, la tourne.

— Bingo! fait-elle d'une voix étouffée.

Puis elle pousse la porte qui s'ouvre sans le moindre grincement, contrairement à ce que nous attendions. Après avoir pris une profonde inspiration, comme si nous allions plonger dans un lac souterrain, nous pénétrons dans la cave.

À notre grande surprise, il ne s'agit pas d'une cave telle que nous nous l'imaginions, mais plutôt d'un sous-sol assez bien aménagé. Il y fait froid, mais l'ameublement fait penser à une sorte d'atelier. Monsieur Sanchez était-il un artiste?

Patricia promène le faisceau de la lampe un peu partout. La lumière nous révèle un établi, des chevalets et de nombreuses étagères portant des statuettes ou des objets dont la plupart nous rappellent l'art du

Mexique, tel que nous avons pu l'apprécier dans des livres illustrés comme celui que Patricia a apporté à mon frère l'autre jour. Figurines aux rictus menaçants, masques, bibelots divers… Monsieur Sanchez était un passionné d'art précolombien.

Instinctivement, je recherche parmi ce bric-à-brac le masque vert qui avait tant impressionné Thomas. Patricia a sans doute eu la même idée, car elle murmure :

— Je ne vois pas Quetzalcóatl…

— D'après ce que m'a raconté Thomas, il se trouve à l'étage, côté jardin.

— On monte ?

Je hoche la tête et, sans un mot, nous nous dirigeons vers l'escalier qui est à l'autre bout de la pièce.

Le silence qui règne dans la maison vide, la faiblesse de la lumière et l'illégalité de notre situation contribuent à créer en moi un sentiment d'angoisse que j'essaie de ne pas laisser transparaître.

Patricia, dont je ne distingue pas le visage, entreprend de gravir les marches. Combien de fois ai-je vu une scène semblable au cinéma ? J'ai l'impression qu'à tout moment une lumière crue va inonder la maison et qu'une voix menaçante va retentir. « Que faites-vous ici ? »

Aucun bruit, cependant, ni aucune lueur ne nous accueillent lorsque nous arrivons au niveau de la rue.

La pièce est encore plus encombrée, si c'est possible, que l'atelier du sous-sol. Patricia masque partiellement sa lampe avec ses doigts pour en atténuer la lumière.

— Nous devons être prudents, explique-t-elle d'une voix sourde. Il ne faut pas que le faisceau de la lampe nous dénonce à l'extérieur. Il y a des fenêtres, ici.

Puis elle commence l'exploration des étagères occupant le mur côté jardin, ayant soin de limiter l'éclairage au maximum, ce qui ne rend pas facile l'identification des nombreux objets entassés là.

Tout à coup, cependant, le rond de lumière s'immobilise, après avoir hésité quelques secondes. Il délimite un cercle jaune pâle sur le haut d'une grosse commode en bois ouvragé surchargée de bibelots et de statuettes. Au centre du cercle, posé sur une sorte de vieux cahier, un masque vert et grimaçant. Quetzalcóatl!

L'objet semble encore plus hideux dans la pénombre de la pièce que sur la porte de la maison de la rue du Belvédère. Patricia s'en approche.

— Penses-tu que cette chose rendrait la mémoire à monsieur Sanchez? demande-t-elle à mi-voix.

— Sans doute, dis-je. C'est pour ça que nous sommes venus, non?

— Oui, admet Patricia. Mais comment justifierons-nous notre intrusion dans sa maison?

— Il faudra que je vérifie auprès de Thomas, mais je ne crois pas que Sanchez connaisse notre nom de famille.

Patricia hausse les épaules, dubitative. Néanmoins, elle tend la main vers le masque au monstrueux sourire et le saisit entre ses doigts. L'objet est sans doute plus lourd qu'elle ne le pensait. Au lieu de le soulever franchement, elle le fait glisser d'un geste maladroit et le rattrape de justesse avant qu'il ne se fracasse sur le sol.

Dans son mouvement, le masque a entraîné la chute d'un morceau de papier, une enveloppe, plutôt, qui se trouvait coincée entre le cahier et le masque, et qui atterrit à mes pieds. Tandis que Patricia contemple avec dégoût la figure de Quetzalcóatl, je me penche et ramasse l'enveloppe.

Le même visage, celui du dieu aztèque grimaçant, y est représenté. Délicatement peint, dirait-on. Je place l'enveloppe sous la lumière que Patricia dirige vers moi à présent.

— Qu'est-ce que c'est?

— Il faut voir.

Après l'avoir retournée plusieurs fois entre mes doigts, je me décide à ouvrir l'enveloppe, qui n'est pas cachetée. Une lettre se trouve à l'intérieur. Un seul feuillet, du beau papier, un peu bouffant, légèrement parfumé et très doux au toucher. L'écriture elle-même est élégante, très lisible et d'un style un peu désuet. Les mots, avec des pleins et des déliés, ont manifestement été tracés à l'encre et à la plume.

Patricia approche sa lampe. La gorge un peu nouée à l'idée que nous nous mêlons de ce qui ne nous regarde pas, je lis.

Mon amour,

J'ai toujours vécu seule, et je m'en suis toujours bien accommodée, car je ne connaissais pas autre chose. Mais tu as été le rayon de lumière qui a éclairé la fin de ma vie, tu as illuminé cette pénombre dans laquelle je vivais sans même m'en rendre compte, tu as fait entrer le soleil de ton pays dans ma maison et tu en as chassé la tristesse.

Je partirai la première, c'est certain – ton âge te préserve. Mais je ne veux pas te laisser seul. Je ne veux pas disparaître dans les ténèbres, je ne

*veux pas que mon corps disparaisse sous la terre
ni ne se consume dans le feu.*

*Mes neveux, s'il en reste à ma mort, vien-
dront rôder autour de mon cadavre alors qu'ils
ne se sont jamais intéressés à moi. Ils me feront
enterrer ou incinérer – ils iront au moins cher,
sans doute. Ce sont des chacals. Je ne leur fais
pas confiance. Je ne veux pas que mon corps
tombe entre leurs mains.*

*Voici donc ma dernière volonté. Je veux rester
sur cette terre, chez moi. Jusqu'à la fin. Jusqu'à
ce que tu disparaisses à ton tour. Tu sais comment
il faut faire, n'est-ce pas. Tu connais les moyens.
Alors promets-le-moi. Je t'en supplie, José: promets-
le-moi.*

À toi, pour toujours.

Héloïse

Nous demeurons muets un long moment,
stupéfaits par ce que nous venons de lire.
Patricia tient toujours le masque contre sa
poitrine. Que devons-nous faire de cette
lettre?

Redressant la tête, je prête enfin attention
au cahier qui a servi de piédestal à l'objet
d'art. Nous avons déjà lu la lettre… Pourquoi
nous arrêter en si bon chemin?

Je saisis le petit volume poussiéreux,
l'examine à la lumière de la lampe. Puis je

l'ouvre. Un journal intime. Le journal de monsieur Sanchez.

— Nous n'avons pas le droit, murmure Patricia. Et puis il faut déguerpir d'ici.

— Tu as raison, dis-je. Filons.

Mais c'est plus fort que moi. Avant de partir, je glisse le petit cahier dans ma poche…

15

L'HOMME AU MASQUE

Monsieur Sanchez est mort.

Il est mort dans le courant de la nuit, une semaine jour pour jour après notre première visite à l'hôpital. C'est en revenant le voir, cet après-midi, que nous avons appris la nouvelle par l'infirmière.

— Ce pauvre vieux monsieur, a-t-elle dit d'un ton navré, il devait être bien seul. Il n'a reçu aucune autre visite que la vôtre.

Le corps n'était déjà plus là. Nous sommes repartis tristement.

Toute la semaine consécutive à notre visite nocturne de la maison de la rue du Couvent, Patricia et moi nous sommes morfondus sans savoir que faire. Devions-nous parler de notre découverte – et, dans ce cas, à qui? –, ou devions-nous nous taire? Nous avons été incapables de prendre une décision.

L'autre soir, après avoir lu et relu la lettre d'Héloïse Lajeunesse chez monsieur Sanchez, nous avons quitté la maison, complètement bouleversés, non sans avoir remis la lettre et le masque à leur place. J'ai cependant conservé le cahier dans ma poche. Puis nous avons replacé la clé sous sa statuette et nous avons filé discrètement et en vitesse, sans prononcer une parole.

Dans les jours qui ont suivi, nous avons évité le sujet. Thomas est bien revenu à la charge auprès de Patricia, mais celle-ci lui a déclaré qu'il était hors de question de s'introduire dans le domicile du vieux monsieur, que c'était interdit et punissable par la loi.

— Oublie-le et oublie cette clé, a-t-elle conclu.

Thomas a eu l'air déçu, mais il n'a pas insisté. En fin de compte, c'est Patricia qui nous a proposé de retourner à l'hôpital, quelques jours plus tard, histoire de voir si la santé du vieil homme s'était un peu améliorée.

Il n'aura plus jamais de problèmes de santé. Il est allé rejoindre son Héloïse…

Finalement, Patricia et moi avons décidé de ne rien dire de notre aventure. D'autant plus que, d'après les journaux, le diagnostic des médecins légistes a été formel en ce qui concerne le décès de madame Lajeunesse : elle est morte dans son sommeil d'un arrêt du cœur, et aucun signe d'une intervention extérieure n'a pu être décelé.

Héloïse Lajeunesse est donc morte de sa belle mort, et son vieux compagnon de route, José Sanchez, n'y est pour rien. José Sanchez ou José Alban, car il ne fait aucun doute pour nous à présent que ces deux hommes n'en font qu'un.

Les policiers souhaiteraient sans doute avoir notre témoignage, qui leur permettrait de fermer définitivement le dossier. Ils aimeraient surtout pouvoir jeter un coup d'œil au journal de monsieur Sanchez.

Ils ne l'auront pas, cependant. Parce que, d'une part, cela ne changerait rien à l'affaire, dans la mesure où monsieur Sanchez est mort et que la voie est libre désormais pour l'héritier de madame Lajeunesse qui pourra jouir en toute légalité de sa fortune. D'autre part, un tel aveu risquerait surtout de nous attirer bien des ennuis : après tout, nous n'avions pas le droit de pénétrer dans la maison de monsieur Sanchez et nous y avons volé un objet.

Tout de même, quelle étrange histoire que celle de ces deux amants d'un autre âge ! D'après ce que nous avons pu reconstituer de leur vie en lisant le journal intime du vieil homme, José Sanchez, immigrant mexicain venu travailler à Montréal, est entré autrefois au service de madame Lajeunesse, riche veuve héritière d'un mari mort jeune.

Sanchez, amateur d'art ancien de son pays d'origine, meublait ses loisirs en reproduisant ou en créant des objets d'inspiration précolombienne, et il avait orné la porte d'entrée de la maison du Belvédère avec un masque de Quetzalcóatl qui était un de ses préférés.

Peu sociable, complètement délaissée par la famille de son défunt mari, Héloïse s'était laissé séduire par son jardinier, dont le côté artiste l'avait sans doute changée de son milieu social. Par souci des convenances, et pour ne pas éventer leur secret, Héloïse et José avaient officiellement continué leurs vies séparées – elle lui avait acheté la petite maison de Saint-Henri –, mais ils se voyaient néanmoins avec régularité.

N'ayant pas eu d'enfants avec elle, l'ancien mari de madame Lajeunesse avait établi un testament en faveur de sa propre famille, advenant le décès de son épouse. La santé de celle-ci déclinant, elle avait fait établir au nom de son amant une procuration sur tous ses avoirs bancaires.

Puis, voyant la mort arriver, pour ne pas laisser dans le besoin celui qui, selon ses propres mots, avait illuminé sa vie, elle l'avait prié de cacher sa mort et de continuer à vivre jusqu'au bout sur sa fortune, sachant que celle-ci, tôt ou tard, reviendrait à ses neveux survivants.

Ainsi, après avoir succombé à un arrêt cardiaque, Héloïse Lajeunesse avait-elle été assise dans le fauteuil de son salon par José Sanchez, qui avait réglé la température et le niveau d'humidité de la maison de telle façon que le corps ne se décompose jamais.

L'ancien jardinier avait continué à visiter sa bienfaitrice, et à vivre sur son compte, jusqu'à ce qu'un malencontreux accident mette fin à cette situation. Sans doute le cambrioleur s'était-il rendu compte que la maison était abandonnée depuis quelque temps. Son intrusion chez sa victime avait cependant mal tourné et, se retrouvant face à face avec un cadavre vieux de dix ans, il avait jugé préférable de prendre le large!

Le mystère de la double identité de monsieur Sanchez est également résolu dans le journal.

Lors de son immigration au Canada, le jeune José Alban Sanchez, débarquant du Mexique, avait bel et bien décliné son identité de façon adéquate. Comme la plupart des gens d'origine hispanique, son nom complet se composait de son prénom (José), du nom de son père (Alban) et de celui de sa mère (Sanchez).

Dans son dossier d'immigration, son nom de famille était donc inscrit correctement : Alban Sanchez, sans trait d'union. Toutefois, lorsque madame Lajeunesse avait acheté la maison de la rue du Couvent au nom de son ami, une erreur s'était glissée dans le contrat de vente. Le courtier immobilier, un anglophone, pensant que « Alban » était le deuxième prénom de son client, avait inscrit sur les documents officiels d'achat « José A. Sanchez ». Sanchez était ainsi devenu son nouveau nom « officiel ».

José Alban avait trouvé la chose amusante, et même potentiellement utile. À partir de cette date, il avait donc continué à vivre sous les deux identités. José Alban pour les banquiers de madame Lajeunesse, et José Sanchez pour ses voisins de Saint-Henri.

Que deviendront les masques et les statuettes de la maison de la rue du Couvent ? Peut-être en retrouvera-t-on certains dans les brocantes du quartier, lorsque la maison aura été vidée de son contenu par son nouveau propriétaire, car je ne crois pas qu'un quelconque héritier de monsieur Sanchez – ou Alban – se présente pour la succession.

Qui sait si, avec un peu de chance, je ne tomberai pas un jour sur le masque de Quetzalcóatl au détour d'une braderie...

TABLE DES MATIÈRES

1. Une momie à Montréal 5

2. Le cadavre du Belvédère 9

3. L'inconnu dans la maison 15

4. Le masque 23

5. Une expédition 33

6. L'homme de l'ombre 45

7. Suppositions 55

8. Thomas fait des siennes 63

9. L'inconnu dans la nuit 73

10. Dans l'ombre 85

11. L'héritier 95

12. Des nouvelles de Sanchez 105

13. Le vieil homme hors du temps 113

14. La maison silencieuse 123

15. L'homme au masque 133

Les titres de la collection Atout

1. *L'Or de la felouque***
   Yves Thériault

2. *Les Initiés de la
   Pointe-aux-Cageux***
   Paul de Grosbois

3. *Ookpik***
   Louise-Michelle Sauriol

4. *Le Secret de La Bouline**
   Marie-Andrée Dufresne

5. *Alcali***
   Jo Bannatyne-Cugnet

6. *Adieu, bandits!**
   Suzanne Sterzi

7. *Une photo dans
   la valise**
   Josée Ouimet

8. *Un taxi pour Taxco***
   Claire Saint-Onge

9. *Le Chatouille-Cœur**
   Claudie Stanké

10. *L'Exil de Thourème***
    Jean-Michel Lienhardt

11. *Bon anniversaire, Ben!**
    Jean Little

12. *Lygaya**
    Andrée-Paule Mignot

13. *Les Parallèles célestes***
    Denis Côté

14. *Le Moulin de
    La Malemort**
    Marie-Andrée Dufresne

15. *Lygaya à Québec**
    Andrée-Paule Mignot

16. *Le Tunnel***
    Claire Daignault

17. *L'Assassin impossible**
    Laurent Chabin

18. *Secrets de guerre***
    Jean-Michel Lienhardt

19. *Que le diable l'emporte!***
    Contes réunis par
    Charlotte Guérette

20. *Piège à conviction***
    Laurent Chabin

21. *La Ligne de trappe***
    Michel Noël

22. *Le Moussaillon de la
    Grande-Hermine**
    Josée Ouimet

23. *Joyeux Noël, Anna**
    Jean Little

24. *Sang d'encre***
    Laurent Chabin

25. *Fausse identité***
    Norah McClintock

26. *Bonne Année, Grand Nez**
    Karmen Prud'homme

27. *Journal
    d'un bon à rien***
    Michel Noël

29. *Zone d'ombre***
    Laurent Chabin

30. *Alexis d'Haïti***
    Marie-Célie Agnant

31. *Jordan apprenti
    chevalier**
    Maryse Rouy

32. *L'Orpheline de la
    maison Chevalier**
    Josée Ouimet

33. *La Bûche de Noël***
Contes réunis par
Charlotte Guérette

34. *Cadavre au sous-sol***
Norah McClintock

36. *Criquette est pris***
Les Contes du
Grand-Père Sept-Heures
Marius Barbeau

37. *L'Oiseau d'Eurémus***
Les Contes du
Grand-Père Sept-Heures
Marius Barbeau

38. *Morvette
et Poisson d'or***
Les Contes du
Grand-Père Sept-Heures
Marius Barbeau

39. *Le Cœur sur la braise***
Michel Noël

40. *Série grise***
Laurent Chabin

41. *Nous reviendrons
en Acadie!**
Andrée-Paule Mignot

42. *La Revanche de Jordan**
Maryse Rouy

43. *Le Secret
de Marie-Victoire**
Josée Ouimet

44. *Partie double***
Laurent Chabin

45. *Crime à Haverstock***
Norah McClintock

47. *Alexis,
fils de Raphaël***
Marie-Célie Agnant

49. *La Treizième Carte**
Karmen Prud'homme

50. *15, rue des Embuscades**
Claudie Stanké et
Daniel M. Vincent

51. *Tiyi, princesse
d'Égypte***
Magda Tadros

52. *La Valise du mort***
Laurent Chabin

53. *L'Enquête de Nesbitt***
Jacinthe Gaulin

54. *Le Carrousel pourpre***
Frédérick Durand

55. *Hiver indien***
Michel Noël

57. *La Malédiction***
Sonia K. Laflamme

58. *Vengeances***
Laurent Chabin

59. *Alex et les
Cyberpirates***
Michel Villeneuve

60. *Jordan et la Forteresse
assiégée***
Maryse Rouy

61. *Promenade nocturne
sur un chemin
renversé****
Frédérick Durand

63. *La Conspiration
du siècle****
Laurent Chabin

65. *Estelle et moi**
Marcia Pilote

66. *Alexandre le Grand
et Sutifer***
Magda Tadros

68. *L'Empire
couleur sang****
Denis Côté

71. *L'Écrit qui tue***
Laurent Chabin

72. *La Chèvre de bois**
Maryse Rouy

73. *L'Homme de la toundra***
Michel Noël

75. *Le Diable et l'Istorlet***
Luc Pouliot

76. *Alidou, l'orpailleur***
Paul-Claude Delisle

77. *Secrets de famille***
Laurent Chabin

78. *Le Chevalier et la Sarrasine***
Daniel Mativat

79. *Au château de Sam Lord**
Josée Ouimet

80. *La Rivière disparue***
Brian Doyle

82. *Sémiramis la conquérante***
Magda Tadros

84. *L'Insolite Coureur des bois**
Maryse Rouy

85. *Au royaume de Thinarath***
Hervé Gagnon

87. *Fils de sorcière***
Hervé Gagnon

88. *Trente minutes de courage**
Josée Ouimet

89. *L'Intouchable aux yeux verts***
Camille Bouchard

91. *Le Fantôme du peuplier***
Cécile Gagnon

92. *Grand Nord : récits légendaires inuit***
Jacques Pasquet

93. *À couteaux tirés***
Norah McClintock

96. *Les Aventures de Laura Berger***
1. *À la recherche du Lucy-Jane*
Anne Bernard Lenoir

98. *Un fleuve de sang***
Michel Villeneuve

100. *Les Crocodiles de Bangkok***
Camille Bouchard

102. *Le Triomphe de Jordan***
Maryse Rouy

103. *Amour, toujours amour !***
Louise-Michelle Sauriol

104. *Viggo le Viking***
Alexandre Carrière

105. *Le Petit Carnet rouge***
Josée Ouimet

106. *L'Architecte du pharaon*
1. *Un amour secret***
Magda Tadros

108. *Spécimens***
Hervé Gagnon

109. *La Chanson de Laurianne***
Denise Nadeau

110. *Amélia et les Papillons***
Martine Noël-Maw

111. *Les Aventures de Laura Berger***
2. *La nuit du Viking*
Anne Bernard Lenoir

112. *Tableau meurtrier**
Louise-Michelle Sauriol

113. *Pas l'ombre d'une trace***
Norah McClintock

114. *Complot au musée***
Hervé Gagnon

115. *L'Architecte du pharaon*
2. *La femme roi***
Magda Tadros

116. *Ma mère est Tutsi,*
mon père Hutu**
Pierre Roy

117. *Le Jeu de la mouche et*
du hasard**
Marjolaine Bouchard

118. *Délit de fuite***
Norah McClintock

119. *Les Aventures de Laura*
Berger**
3. *Le tombeau des*
dinosaures
Anne Bernard Lenoir

120. *Monsieur John***
Guy Dessureault

121. *La Louve de mer***
1. *À feu et à sang*
Laurent Chabin

122. *Les Perles de Ludivine***
Martine Noël-Maw

123. *Mensonges et vérité***
Norah McClintock

124. *Les Aventures de Laura*
Berger**
4. *La piste du lynx*
Anne Bernard Lenoir

125. *La Fille du bourreau**
Josée Ouimet

126. *Intra-muros***
Sonia K. Laflamme

127. *La Louve de mer***
2. *La république des*
forbans
Laurent Chabin

128. *La Nuit des cent pas***
Josée Ouimet

129. *Un avion dans la nuit**
Maryse Rouy

130. *La Louve de mer***
3. *Les enfants de la Louve*
Laurent Chabin

131. *Dernière chance***
Norah McClintock

132. *Mademoiselle Adèle**
Cécile Gagnon

133. *Les Trois Lames***
Laurent Chabin

134. *Amnesia***
Sonia K. Laflamme

135. *L'Énigme du canal**
Laurent Chabin

136. *Le Trésor de Zofia**
Mireille Villeneuve

137. *15 ans ferme***
Laurent Chabin

138. *Le Baiser du lion***
Élizabeth Turgeon

139. *Mille écus d'or***
Hervé Gagnon

140. *La nuit sort les dents***
Laurent Chabin

141. *Les Illustres Farceurs**
Maryse Rouy

142. *Mon paradis perdu**
Cécile Gagnon

143. *La Momie du Belvédère**
Laurent Chabin

* Lecture facile   ** Lecture intermédiaire   *** Lecture difficile

Suivez-nous

GARANT DES FORÊTS
INTACTES

Achevé d'imprimer en septembre 2014
sur les presses de l'imprimerie Gauvin
Gatineau, Québec